Михаил Лабковский

Хочу и буду

Принять себя, полюбить жизнь и стать счастливым

2-е издание

альпина паблишер

Москва
2019

УДК 159.9
ББК 88.3
Л12

Редактор Полина Санаева

Лабковский М.

Л12 Хочу и буду: Принять себя, полюбить жизнь и стать счастливым / Михаил Лабковский. — 2-е изд. — М. : Альпина Паблишер, 2019. — 320 с.

ISBN 978-5-9614-6799-4

Психолог Михаил Лабковский абсолютно уверен, что человек может и имеет право быть счастливым и делать только то, что он хочет. Его книга о том, как понять себя, обрести гармонию и научиться радоваться жизни. Автор исследует причины, препятствующие психически здоровому образу жизни: откуда в нас осознанные и бессознательные тревоги, страхи, неумение слушать себя и строить отношения с другими людьми?

Отличительная черта подхода Лабковского — в конкретике. На любой самый сложный вопрос он всегда дает предельно доходчивый ответ. Его заявления и советы настолько радикальны, что многим приходится сначала пережить удивление, если не шок. В рекомендациях автор не прячется за обтекаемыми формулировками, а четко называет причины проблем. И самое главное, что он знает, как эту проблему решить — без копания в детских психотравмах и пристального анализа вашего прошлого. Если у человека есть знание и желание, то изменить себя и свою жизнь к лучшему вполне реально.

Цель любой работы психолога — личное счастье и благополучие его пациента. Цель издания этой книги — личное счастье каждого, кто ее прочитает.

УДК 159.9
ББК 88.3

ISBN 978-5-9614-6799-4

Содержание

Предисловие 4
Личность 10
Отношения 118
Дети 206
Список иллюстраций 319

Предисловие

Было время, когда я работал дверь в дверь с наркологами. Советскими наркологами, врачами старой закалки. К ним всегда была очередь — кто поодиночке, кто с мамой, кто с женой или мужем. И вскоре оказалось, что некоторых из очереди наркологи отправляют домой, прямо сразу. Однажды я у них поинтересовался, что это за жестокость такая — отказывать в помощи человеку, который о ней просит. Разве мы не обязаны?! И все такое… В ответ мне объяснили, что отказывают только тем, кого привели «на аркане», жена настояла, например. «Такие никогда не бросают пить, по крайней мере до тех пор, пока сами не решат бросить», — сказал опытный врач. Возможно, это жестокий, но правильный подход.

Когда ко мне обращаются с просьбой записать на прием, я всегда спрашиваю, чье это решение — обратиться к психологу. Бывает, слышу, что женщина звонит записать сына или муж настаивает, чтобы его жена пришла поговорить. И тогда я тоже отказываю, как те наркологи. Жду звонка от самого подростка или женщины, попавших в сложную ситуацию. И если такой звонок раздается, приглашаю на консультацию.

И снова пример из практики наркологов. Если жена страдает от алкоголизма мужа, плачет, убивается, терпит безденежье, а то и побои, все время ищет врачей и норовит подсыпать в чай супругу отворотное зелье — это только ее проблема и ее выбор. Ее муж пьянство большой бедой не считает, пьет себе в свое удовольствие. Это жене плохо, а ему-то хорошо, особенно «выпимши». И да, из такой диспозиции «спасти» алкоголика невозможно. Но все обычно надеются и прилагают массу усилий. И кладут свою жизнь на борьбу за спасение того, кто не хочет спасаться. И не обязательно от алкоголизма, а, например, от неподходящей девушки, «плохой» компании, непрестижной работы... Напрасные усилия!

А вот когда человек сам говорит себе «У меня проблема, и я с ней не справляюсь», то и рекомендации психолога на пользу, и терапия результативна. Но невозможно помочь тому, кто наличие проблемы — с зависимостью ли, с тревогой, с низкой самооценкой или неудачами в отношениях — напрочь не признает. В принципе отрицает! Да и зачем к нему лезть с советами, если у него все в порядке? Проблема вообще не считается проблемой, пока она не мешает жить...

А вот когда человек, которому не нравится его жизнь, осознает или хотя бы начинает подозревать, что дело не в жестокости мира или стечении обстоятельств — что дело в нем самом, и решает измениться, то у него есть все шансы! Шансы стать счастливым. Причем в любом возрасте, семейном положении, благосостоянии и пр.

Я не то что верю, я знаю по опыту психолога, что быть счастливым — это решение. И если вы считаете, что у вас нет проблем, которые мешают наслаждаться жизнью, вам все нравится — эта книга не для вас.

Это книга для тех, кто хочет и готов меняться.

Эта книга для тех, кто сейчас живет несчастливо, часто не понимая, что с ним происходит и вопрошая «За что мне все это?».

Кто считает, что жизнь несправедлива, кто уже не верит в любовь, кто думает, что «главное, чтобы не было войны» и «чтоб не хуже, чем у людей».

Кто боится смеяться, кто терпел, страдал, выживал и решал проблемы. Кому дети в тягость, работа не в радость, семья — обуза…

Это книга для тех, кто принял решение со всем этим завязать. Покончить.

Это книга для тех, кто не знал, что существует другой мир, другая жизнь — «без нервов». И есть люди, которые не тревожатся заранее и без повода, работают на любимой работе, живут с любимыми людьми.

Книга для тех, кто не предполагал, что буквально рядом живут мужчины и женщины, которые нравятся себе полностью, от длины ног до характера и возраста, и принимают себя и жизнь целиком. Что есть семьи, где муж и жена познакомились в 9-м классе и сейчас, в 86 лет, думают, как бы умереть в один день.

Что есть родители, которые не грузят детей своими ожиданиями и не хотят, чтобы они выросли в больших руководителей, стали юристами, а хотят, чтобы они просто выросли и были счастливы.

И есть отношения, в которых не остается места для ревности, зависти, сравнений себя с другими…

Жизнь коротка, и большинство из нас не успевает ощутить радость и удовольствие от нее.

Обидно, что каждый ребенок, родившийся в сложной невротической семье, с молоком матери впитывает конфликты, предательство, холодность, неспособность радоваться, страхи и вырастает с ощущением, что а) так живут все и б) люди рождены для страдания.

Это не так, можете мне поверить. Можно жить по-другому, и жизнь вовсе не такая страшная, как вам кажется. Вы можете быть счастливы, и расплачиваться ни за что не придется. А любовь не надо заслуживать, тем более что ее нельзя заслужить. Вас могут любить за то, что вы — это просто вы. И каждое утро можно просыпаться без тревоги, но с чувством предвкушения, будто у вас день рождения или сегодня Новый год.

Самое интересное, что именно в этом блаженном состоянии вы можете хорошо зарабатывать…

Теперь самое главное. Многие, даже зная, что есть эта нормальная радостная жизнь и спокойные гармоничные отношения, не верят, что все это вполне достижимо, в том числе лично для них. Потому что не знают, КАК к этому прийти, с какой стороны взяться, что делать и куда бежать, чтобы достичь всего этого.

Так вот, эта книга именно про то, КАК перерасти свои страхи, тревоги, комплексы и стать счастливым.

Но для этого нужно две вещи: решить изменить свою жизнь и не бояться этого.

АСТЬЕ

Любой конфликт
в семье, на работе,
в любви и дружбе –
это лишь отражение
вашего внутреннего
конфликта. Поэтому
разбираться надо
не с окружающими –
разбираться надо
с собой. И победив
неврозы, зажить
с радостью.

Личн

ЮСТЬ

Про первое правило

Им только дай волю…

Первая учительница

Совет «делать только то, что хочется» наши граждане воспринимают как призыв к анархии. Свои самые сильные желания они считают непременно низменными, порочными, опасными для окружающих. Люди уверены, что они тайные беспредельщики, и попросту боятся дать себе волю! Я вижу в этом серьезный симптом всеобщего невроза.

Говоришь человеку: «Делай то, что хочешь!» А он: «Ну что вы! Разве так можно?!»

Отвечаю: «Если вы считаете себя хорошим человеком, то да. Можно и нужно». **Желания хорошего человека совпадают с интересами окружающих.**

Шесть правил, которые помогли не одному десятку людей выйти из невроза, — результат 30 лет практики. Это не значит, что я думал над ними 30 лет. Скорее, однажды они сами стихийно выстроились, как таблица Менделеева в голове Менделеева, когда он проснулся.

Правила на первый взгляд простые:

1. Делать только то, что хочется.
2. Не делать того, чего делать не хочется.
3. Сразу говорить о том, что не нравится.

4. Не отвечать, когда не спрашивают.
5. Отвечать только на вопрос.
6. Выясняя отношения, говорить только о себе.

Объясню, как они работают. Каждый невротик еще в детстве получает в свою жизнь некий раздражитель, и, скорее всего, не один. Так как это назойливо повторяющийся раздражитель, психика ребенка вырабатывает одни и те же стереотипные реакции на него. Например, родители орут — ребенок пугается и уходит в себя, а так как орут они постоянно, то ребенок постоянно находится в страхе и подавленном состоянии. Он растет, и поведение продолжает закрепляться. Раздражитель — реакция, раздражитель — реакция. Так проходит год за годом. В мозге за это время формируются крепкие нервные связи, так называемая рефлекторная дуга — выстроенные определенным образом нервные клетки, которые заставляют реагировать привычным образом на любой аналогичный раздражитель. (А если ребенка били или вообще бросили? Представляете, какие у него вырабатываются реакции на жизнь?)

Так вот, чтобы помочь человеку преодолеть страхи, тревоги, неуверенность, низкую самооценку, эту дугу нужно сломать. Создать новые связи, новый их порядок. И есть только один способ это сделать без применения лоботомии: с помощью поступков, непривычных для невротика.

Ему надо начать действовать по-другому, ломать свои поведенческие стереотипы. И когда есть четкие инструкции, как вести себя в каждой конкретной ситуации, — измениться легче. Не размышляя, не рефлексируя, не обращаясь к собственному (негативному) опыту. **Для жизни в целом не имеет значения, что вы думаете, — имеет значение только то, что вы чувствуете, и то, что вы делаете.**

Мои правила предлагают способ поведения, совершенно несвойственный невротикам и, напротив, характерный для психически здоровых людей: спокойных, независимых, с высокой самооценкой, тех, что себя любят.

Самое большее сопротивление, массу вопросов, сомнений, а также обвинений в мой адрес вызывает первый пункт. Мне говорят: «Это что? “Люби себя, чихай на всех, и в жизни ждет тебя успех”?» Хотя про «наплюй на всех» я никогда и нигде не говорю.

Почему-то все упорно считают, что жить, как хочешь сам, — значит жить в ущерб окружающим. Кроме того, в нашем обществе бытует презрительное отношение к собственным желаниям, как будто они обязательно должны быть низменными. И порочными. Я бы даже сказал, что наши граждане относятся к своим желаниям с опаской или со страхом. Концепция такая: «Мне только дай волю! Я же уууx! Меня ж потом не остановить будет!» (Секс, наркотики и рок-н-ролл или типа «Я тут всех порешу!» и «В гневе я страшен!».) Если это правда то, чего он хочет, то что же это за человек такой? Дальше он обычно признает, что ему нужна твердая рука, крепкая узда и прочее. По-моему, такая психология называется рабской.

Есть еще один концепт. У мамы любимым криком вслед (возможно, отцу) было: «Ты не можешь жить, как ты хочешь!» И чего похуже она говорила про тех, кто так и живет (возможно, опять же про отца). У бабушки была присказка: «Не для радости живем, а для совести»; и у всей семьи была примета: если сегодня много смеемся, значит, завтра плакать будем. Результат — человек с тревожной психикой органически не может делать то, что хочет. Даже определить, чего именно хочет, не может. Он как бы заранее виноват и уверен, что за исполненные желания придет расплата и поэтому превентивно надо вести себя «как надо».

И еще «делать то, что хочется» часто путают с «быть эгоистом». Но тут большая разница! Эгоист не принимает себя и никак не может успокоиться. Он абсолютно зациклен на себе, своих проблемах и внутренних переживаниях, главное из которых — чувство обиды. Он не может вам помочь или посочувствовать вовсе не потому, что такой плохой, а потому, что у него нет на это душевных сил. Ведь у него с самим собой бурные, захватывающие отношения. И всем кажется, что он нечуткий, черствый, холодный, что ему на всех наплевать, а он в это время думает, что это как раз на него всем наплевать! И продолжает копить обиды.

А кто такой человек, который себя любит? Это тот, который всегда выберет дело, к которому у него душа лежит. А когда надо решить, как поступить, он, может, прикинет: что эффективно, что разумно, как чувство долга велит, а потом сделает как ХОЧЕТСЯ. Даже если потеряет на этом деньги. И много чего он может потерять. Но на кого ему при этом обижаться? У него все хорошо. Он живет среди тех, кого любит, он работает там, где нравится… У него с собой обо всем договорено и гармонично, и поэтому он добр к другим и открыт миру. А еще он уважает чужие желания так же, как уважает свои.

И кстати, именно поэтому у него нет того внутреннего конфликта, который характерен для невротиков, живущих двойной жизнью. К примеру, с женой — из чувства долга, а с любовницей просто из чувства. И тогда он жене подарок покупает потому, что «так надо», а не потому, что ХОЧЕТ ее порадовать. Или на работу идет потому, что ему нравится то, что он делает, а не потому, что у него кредит и он надеется еще пять лет потерпеть в этом офисном аду. Вот она — раздвоенность!

Желая достичь результатов, многие считают своим долгом побороться с собой, подавить эмоции, сказать себе: «Ничего, привыкну!» Результат, достигнутый без борьбы и самопреодоления, их, видимо, не радует. Вот универсальный пример такой борьбы: с одной стороны, девушка хочет есть, а с другой — похудеть. Поэтому, даже если худеет, — проигрывает. Она в проигрыше сама себе потому, что все равно мечтает о пирожном, она хочет есть, особенно ближе к часу ночи.

Примерно это я и говорю своим клиентам, когда объясняю первое и, наверное, самое важное из моих шести правил. По которым, кстати, я и сам стараюсь жить. И не буду делать вид, что мне это легко далось. Чтобы «жить как хочется», поначалу требуется много усилий. Психика привычно ведет тебя по пути компромиссов и страхов, а ты ловишь себя за руку и говоришь: «Стоп, что ж я делаю? Я же этого не хочу!» И так много раз, после которых становится все легче и легче принимать решения. В свою пользу, но не в ущерб кому-то. Я же знаю, что человек я хороший, а значит, мои желания не создадут проблем.

И, честно говоря, жить становится все легче и легче. Более того, потренировавшись, через какое-то время ты больше уже не можешь по-другому. Иной раз и думаешь «поступить разумно», но вопреки желанию и воле, а организм уже сопротивляется. До тех пор, пока не отказываешься от того, чего по-настоящему не хочешь, но вроде нужно. И наступает радость. Правда, я таким образом недавно лишился приличного дохода, но уж лучше дохода, чем здоровья и радости.

...

— Вы говорите, надо делать только то, что хочешь. А не спровоцирует ли это волну ненависти по отношению ко мне?

— По вашему вопросу видно, как сильно вы зависите от мнения окружающих.

— От него зависит, насколько легко мне будет житься!

— Насколько легко вам будет житься, зависит исключительно от того, насколько хорошо вы относитесь к себе.

Про смысл жизни

Тот помер, не найдя смысла в жизни. А тот помер, найдя смысл в жизни. А тот помер, не ища смысла в жизни. А этот вообще еще живет. Надо бы с ним поговорить.

Михаил Жванецкий

Сразу скажу, что не претендую на лавры писателей и философов, то есть людей, которые занимаются поисками смысла жизни профессионально. И не очень-то верю, что его можно обрести рациональным путем. Как и в это вот: «Я прочла "Братьев Карамазовых" и поняла смысл жизни». Я бы вообще не поднимал этот вопрос, если бы ежедневно не сталкивался с ситуациями, когда псевдопотеря смыслов и целей причиняет страдания. И если бы в числе последствий не значились тяжелые депрессии и даже суицид.

Я уверен, что причины и следствия тут поменялись местами. Как мы это традиционно видим? Человек ищет и не находит смысла в жизни, ложится на диван, депрессует, мучается. (У нас в стране пострадать — любимая национальная забава, но сейчас не об этом.) На самом деле у него, конечно же, сначала что-то случается, какой-то сбой: от двойки за экзамен до потери близкого человека — и тогда он переходит к широким обобщениям, уверяется, что он лузер, жизнь — тлен и смысла в ней нет никакого… Либо вдруг понимает, что живет совсем не так, как хочет, как планировал. Результат тот же. Или наоборот, осознает, что достиг всех своих целей, а счастья-то нет. Либо… Понимаете,

вопросы о смысле бытия возникают не от большого ума и зрелости, а именно потому, что человеку все как-то не живется. Мешают какие-то установки, комплексы, особенности психики. Здоровые, психически благополучные люди не ставят перед собой ни таких вопросов, ни рациональных целей. И уж тем более не пытаются реализовать их любой ценой. Они наслаждаются эмоциональной стороной жизни! Просто живут.

За смысл отвечает рациональная часть мозга (и нас самих), а за психическое благополучие и счастье — эмоциональная. Если эмоции подавлены или дискредитированы, начинаются умозрительные поиски смыслов, которые рано или поздно заканчиваются разочарованием, кризисом, если не трагедией.

А ружье, которое выстреливает в зрелом возрасте, заряжается опять-таки в детстве. Какие успехи родители с удовольствием фиксируют и поощряют? У мальчиков: хорошую учебу и физическую силу. У девочек: хорошую учебу и физическую красоту. Считается, что можно на этом жизнь построить. И еще много чего прямо с детства завязано на слове «надо».

Что говорят детям в старших классах? «Ты ДОЛЖЕН хорошо учиться», «Мы с отцом костьми ляжем, чтобы ты поступил», «Хорошее образование открывает перспективы». Как будто любое образование — хорошее. Как будто оно может что-то гарантировать. Вы знаете, что, по статистике, люди с «хорошим» образованием чаще всего становятся наемными работниками?

Да, а девочкам в уши часто жужжат, что выходить замуж надо ВОВРЕМЯ, а то потом могут не взять. По-моему, **нельзя, да и просто опасно внушать детям, что брак — это самое лучшее, что может случиться с ними в жизни. Самое лучшее — это счастье. А счастье — это максимальная личностная реализация: в любви, дружбе, семье, детях, профессии — во всем, в чем человек талантлив и что хочет попробовать.**

А что на деле? Придумают себе смыслы заранее (впитают с молоком матери), а когда они перестают работать или оказываются ложными, впадают в отчаяние. В такой момент важно понять, что нет никакого абстрактного смысла жизни. Что **смысл жизни — в самой жизни. Цель жизни — в том, чтобы получать от нее удовольствие. Жизненный ориентир — самореализация.**

Кстати, те самые психически благополучные люди (это не инопланетяне — они действительно ходят среди нас) не ведут с детьми беседы о том, какими людьми те должны вырасти. И не рассказывают, что не обмануть ожидания родителей — их главная задача на ближайшую жизнь.

Иногда неспособность получать от жизни удовольствие и как следствие непрерывные поиски смысла жизни связаны с неразвитостью эмоциональной сферы. Это может быть и наследственной, и приобретенной особенностью психики. Человеку кажется: вот сейчас поменяю работу, или разведусь, или перееду — и наконец-то все будет хорошо. Но внешние перемены происходят, а внутри ему лучше не становится. Потому что счастье очень мало зависит от наружных обстоятельств. Все в нас самих, это правда. Виктор Франкл не то что не сломался, но и психологически не изменился в концлагере.

Другой вариант — нестабильная психика. Когда человек мечется, все чего-то ищет и не может остановиться, задержаться на чем-то, обрести покой. (Если психика стабильная, человеку что-то нравится очень долго.) И снова дело не в отсутствии смысла и цели, а в том, что и то, и другое слишком часто меняется. Происходит бесконечное перебирание работ, жен, квартир, партнеров… А всего-то надо полюбить то, что есть. Себя и свою жизнь. И тогда развитие, рост, положительные перемены происходят естественно и плавно.

И эмоциональная недоразвитость, и психологическая нестабильность вполне излечимы. Главное — точно знать, что жизнь должна быть в радость.

...

— У меня все хорошо: семья, трое детей, жизнь наполнена заботами. Но я начала задумываться, что я буду делать, когда они вырастут? В чем будет смысл моей жизни тогда?

— Это как раз следствие установки, что призвание каждой женщины — дом, семья, материнство. И если до замужества у девочки не образовалось других интересов, она пытается зацепиться за детей как за смысл. Но дети подрастают, и неизбежно начинается кризис. Впрочем, кругом много и других примеров: например, когда 70-летняя мать звонит 48-летнему сыну, учит его жить и контролирует, съел ли он кашку на завтрак — она так и не нашла себе больше смысла и занятия, кроме материнства. А ваша задача найти! Начать искать и реализовывать себя стоит уже сейчас. Надо понять, чего вы хотите от жизни, КРОМЕ семьи и детей. Нормально хотеть рожать. Ненормально хотеть только этого.

...

— Подруга в депрессии, потеряла смысл жизни, потому что выяснилось, что муж ей изменяет. Как ее поддержать? Ей надо решить, продолжать ли отношения.

— Тут главное не говорить: «Да разведись ты с этим козлом!» И еще не надо говорить: «Да ничего страшного!» Не надо обесценивать ее проблему. Но постарайтесь показать, что она не одна и имеет полное право принять любое решение. Проявите деликатность: в моменты, когда человеку так тяжело, близкие не могут заменить своим смыслом его потерянный. Не могут заменить своей жизнью его разрушенную. Но могут поддерживать и быть рядом.

Многие относятся к своим желаниям с опаской, а то и страхом. Концепция такая: «Мне только дай волю! Я жеууух! Меня ж потом не остановить будет!» (Секс, наркотики и рок-н-ролл или типа «Я тут всех порешу!» и «В гневе я страшен!».) Если это правда то, чего он хочет, то что же это за человек такой? Дальше он обычно признает, что ему нужна твердая рука, крепкая узда и прочее. По-моему, такая психология называется рабской.

...

— Я живу, рационализируя все подряд, и по-другому не умею. Как отказаться от рациональных целей, чтобы следовать за эмоциями?

— Так бывает и когда эмоциональная сфера подавлена, и, наоборот, когда человек гиперчувствительный, тревожный. Чтобы не сойти с ума, ему приходится постоянно себя контролировать. Его рационализация — это попытка удержаться на плаву, защититься от собственных эмоций, от самой жизни. И то, и другое лечится. Идите к психологу.

При подавленности я советую для начала научиться не бояться выражать свои эмоции. Хочется кричать — кричите! Как пела черепаха Тортила, «хочешь драться — так дерись!». Не бойтесь выглядеть невоспитанным, конфликтным... Головы бы поотрывать конфликтологам, которые объясняют про культуру конфликта. Подавление эмоций — прямой путь к онкологии. **Смысл конфликтов — слить негатив, если этого не происходит, негатив уходит в физиологию. У животных не бывает болезней сердца, потому что у них нет рефлексии, они знают, что в острой ситуации надо либо бежать, либо драться.** И еще старайтесь доверять положительным эмоциям, желаниям. Делайте то, что хотите, а не то, что надо...

...

— Что делать, если у меня тяжело больна мать и вся моя жизнь проходит рядом с ней?

— Я это вижу так: вы жили, искали по мере сил смысл жизни, тут выяснилось, что у вас больная мать и — оп! — оказывается, искать больше ничего не нужно. Так? Это ведь всегда вопрос выбора, вопрос, соглашаетесь ли вы с тем, что предлагает вам жизнь. Проблему ухода за мамой всегда можно решить, хотя бы на несколько часов в день — есть сиделки. Другой вопрос, что вы будете делать, когда вам не надо будет ухаживать за мамой? Вы знаете? Вернетесь на работу? На какую? Вам нравится ваша работа? Ответьте себе на эти вопросы, и тогда многое станет понятным.

И еще про пожилых мам: психиатры всего мира склоняются к тому, что после определенного возраста, скажем после 60 лет, всем надо пить антидепрессанты.

• • •

— Я люблю свою работу, но она отнимает очень много сил и нервов. Это значит, что надо искать другую?

— Для работодателя невротик — самый лучший работник. Потому что невротик все время переживает: вдруг опоздает, вдруг что не так, вдруг он работает недостаточно? И зарплату не просит повысить, потому что не уверен в себе.

Все эти поводы для ваших переживаний реальные? Вы уверены? Вполне возможно, что с работой все в порядке, а у вас к ней невротическое отношение. Это как в любви — от нее кто-то становится сильнее, а кто-то страдает и умирает. Не меняйте работу, попытайтесь изменить свое отношение к ней.

...

— Все было хорошо, я реализовалась и в работе, и в отношениях. Потом родила ребенка, у него диагностировали тяжелый аутизм. Теперь вся моя жизнь посвящена ему. Я очень его люблю, но периодически теряю смысл жизни. И уж конечно, не могу больше получать от нее удовольствие. Что посоветуете делать?

— Сделать все, чтобы не чувствовать себя заложницей — ребенка и ситуации. Если есть какая-то возможность высвободить время, нанять человека, который квалифицированно сможет ухаживать за вашим сыном, проводить с ним время, развивать, — сделайте это не сомневаясь. Сделайте все, чтобы начать воспринимать сына именно как ребенка, а не как инвалида и больное существо. Лучше проводить с ним 5 минут, но с желанием, чем если он вас раздражает 24 часа в сутки... И обязательно надо что-то решать с вашим чувством вины — это деструктивное чувство и плохой советчик.

...

— Правильно ли я понял, что если кто-то не получает удовольствие от жизни, то он просто какой-то недообследованный? Ему надо к психологу?

— В общем-то, да. Правильно.

— А правильно ли я понимаю, что все эти поиски смысла жизни — есть поиски любви?

— Спасибо за эту глубокую мысль. Конечно, желание, чтобы тебя любили, правит миром. Даже не с рождения, а с зачатия важно, чтобы мать, которая тебя носит, хотя бы хотела тебя родить. Потому что маленький ребенок хочет, чтобы родители ему физически принадлежали... Как важно, чтобы любовь ощущал подросток, уже говорилось — это жизненно важно! Собственно, вся эта борьба за успех, популярность, красоту, все эти невероятные усилия, пластические операции, инстаграмы, сбор лайков — все это поиски любви... Неудовлетворенность жизнью и есть отсутствие любви. Человек чувствует, что его не любят. Он не понимает, что происходит, и думает: что сделать, чтобы меня любили? Вы же уже знаете что? Начать с того, что самому себя полюбить!

Про невротиков

90% наших забот касаются того,
что никогда не случится.

Маргарет Тэтчер

А Жванецкий предложил: «Давайте переживать неприятности по мере их поступления» — и это есть самая здоровая и эффективная схема. Не заранее бояться, не потом расстраиваться и мысленно возвращаться, а именно так — по мере поступления. Но именно так и не получается.

Постоянно о чем-то тревожиться — вот наше нормальное состояние. Притом что мы знаем: волнение не помогает, а сильно мешает решать проблемы. Зато мы не знаем, чем вообще займемся, если перестанем психовать и волноваться, верно? Какая-то пустота внутри образуется, куда ее? В этом-то и проблема.

Тревоги — это страхи без адреса. Сильнее всего они обостряются в сумерки — научный факт. И вот родители парятся из-за детей, девочки — из-за мальчиков, мальчики — из-за денег… Некоторые думают, что так и устроен мир. Ничего подобного. Так устроен только мир невротиков, которые ежеминутно создают ад в своей голове.

Тревожиться без причины либо по причине ничтожной — это и значит быть невротиком. В нашей стране таких большинство.

Чем от невротиков отличаются психически здоровые люди? Тем, что они, конечно же, тоже нервничают, но испытывают реальные эмоции, у которых есть реальные весомые причины — это конкретные события, раздражители во внешнем мире. Невротики же причины своего раздражения непрерывно генерируют в себе.

Для тревожных людей жизнь — это лишь череда проблем, которые надо решить, и волнений, которые надо либо заглушить (алкоголем, например), либо реализовать (поистерить по полной, например). Так, глядишь, и день прошел.

Невротику всегда необходима та самая ложка дегтя в любой, даже самой большой бочке меда. Дискомфорт, фрустрация, гнев, обида — чувства, с которыми им привычно, с ними они всегда как дома. И что характерно, они и сами не умеют радоваться жизни, и другим не дают.

Когда психика заточена под волнение, за поводом дело не станет: недомытая чашка в раковине, не опущенное сиденье унитаза, курс доллара, пьяницы в метро… И пошло-поехало с утра. Ведь если у человека есть потребность в постоянных переживаниях, ему необходимо упереться в какой-то негатив, чтобы «успокоиться» и сказать себе: «Я же не просто так волнуюсь, я волнуюсь по поводу!» Понимаете, какая подмена? Вы сначала всего боитесь и только потом находите, в чем разместить свой страх.

Кстати, многие при всем желании и возможностях жить за границей тем не менее остаются в стране — у нас-то тут есть из-за чего понервничать всласть, а в старушке Европе поводов для волнений не набирается до привычного уровня — и скучно, и грустно, и все такое.

Однажды **попытайтесь остановиться и точно выяснить, из-за чего вы нервничаете? Насколько адекватна ваша реакция имеющимся раздражителям?**

Или вы все-таки невротик и нервничаете не потому, что у ребенка ЕГЭ, в стране кризис, а на работе сокращения, а исключительно потому, что не можете не нервничать? Как говорил Зигмунд, «масштаб вашей личности определяется величиной проблемы, которая способна вас вывести из себя». Так каков ваш масштаб?

Кроме того, у многих в детстве формируется такая устойчивая и вредная для жизни эмоция, как жалость к себе. Советую поразмышлять на тему — за что вы себя жалеете сейчас? Есть ли серьезные основания для жалости к себе? Почему вы чувствуете себя ущербно, ощущаете жертвой? Или, может, все это происходит по инерции? Может, лучше попробовать не жалеть себя, а действовать, чтобы устранить причины ваших расстройств?

Если осознаете, что ваша психика постоянно ищет поводы для встряски и жадно бросается на любой повод запаниковать, когда вы поймете, как это работает, — у вас появится шанс перейти в разряд нормальных людей и вспомнить, что тревоги, волнения, страхи, невротические реакции не позволяют вам развиваться, расти, реализовывать себя — ни в личных отношениях, ни в работе.

Когда я учился в школе, над доской в нашем классе висел плакат с высказыванием Ленина: «Мы пойдем другим путем!» Так мы веками и идем каким-то другим путем, перпендикулярным всему миру. И эта поза, и эта громадная обида на весь мир, который якобы на нас ополчился, и эта агрессия как следствие обиды — все это факторы, серьезно влияющие на психику целой нации, целой страны. Войны, революции, репрессии, 75 лет жизни в тоталитарном государстве, «Будь бдителен — враг не дремлет», «Болтун — находка для шпиона», «А ты сдал нормы ГТО?». Где уж тут расслабиться?

Истоки тревожности как образа жизни всегда кроются в детстве, в страхах родителей и, конечно, в генетике. Наши бабушки, прабабушки и прадедушки (и, я подозреваю, все это уходит в глубь веков) вынуждены были жить с оглядкой, и уж точно никто из них не жил как ему хочется. Поэтому и для нас такой стиль жизни естественным не является. Но должен же кто-то начать…

Про истинные желания

Хочется? Перехочется!

Мама

Знаете, есть такие люди, которых спрашиваешь в ресторане: «Что ты хочешь?»

— А я не знаю.

— Выпьем?

— Ну, давай…

Почему человек не знает, чего хочет? Как это вообще можно не знать? Да запросто. Придется опять рассказывать про детство, когда родители навязывают свою волю 10-, 12-, 15-, а иногда и 40-летним «детишкам». Вернее, просто не интересуются, чего там хочет ребенок. Творожок, хлопья или омлет, например, на завтрак? У подростка могут не спрашивать, кем он сам хочет стать… Это в принципе не имеет значения для некоторых родителей, которые «сами знают, как лучше».

А получается не лучше. Получается, что, когда надо выбрать, когда важно знать, чего хочет и что лучше именно для него, ребенок или уже взрослый не может обнаружить в себе ни одного желания. Ни одного желания настолько ясного и сильного, чтобы его можно было сформулировать. Нет у них желаний.

Заорганизованным детям просто некогда осознать свои желания, так как у них нет личного времени, они живут по расписанию, составленному родителями и бабушкой. А позже они уже не могут различить, где собственные желания, где мамины, а где так называемая социальная норма…

Еще одна причина амбивалентности, когда человек мечется, не зная, что выбрать, — психологическая нестабильность. Смена настроений и психологических состояний, огромное чувство беспокойства и тревоги, мозг разрывается от взаимоисключающих мотиваций… И вот это уже надо лечить с помощью специалистов.

Еще вариант — семья, в которой живут под девизом «Есть такое слово: НАДО». А также ДОЛЖНО, ПРАВИЛЬНО, НЕОБХОДИМО и чтоб «не стыдно перед людьми». А вот ХОЧУ где-то на заднем плане трется. Желания воспринимаются как помехи тому, что долг велит. И как-то стираются постепенно.

Не могу сказать, что всякий упорный труд дает результаты, соответствующие упорству. Иногда вообще не дает. И наоборот. У каждого ведь есть знакомый, который зарабатывает больше вас, не прилагая усилий…

Но многих так воспитали, что, мол, чтоб удовольствие получить, надо еще сильно постараться, а вот страдать, пахать и чего-то лишаться — это проверенный способ существования. Безопасный, верный. Если ребенок протестует, то обязательно слышит, что «ты нам еще спасибо скажешь» и все в таком духе. Но я бы на это «спасибо» особо не рассчитывал.

Научиться хотеть можно в любом возрасте. Учиться, как будто вам год от роду и вас первый раз спрашивают: «Чего ты хочешь?» Учиться хотеть, как дети учатся ходить.

Что делают некоторые женщины, выбирая платье? Они идут в примерочную, потом зовут спутника, мужа, подругу, продавца, прохожих и всех спрашивают: «Ну как? Бледнит? Полнит? Старит? Подчеркивает?» и т. д. И это только начало. Потому что после покупки эта сцена трижды проигрывается со всеми

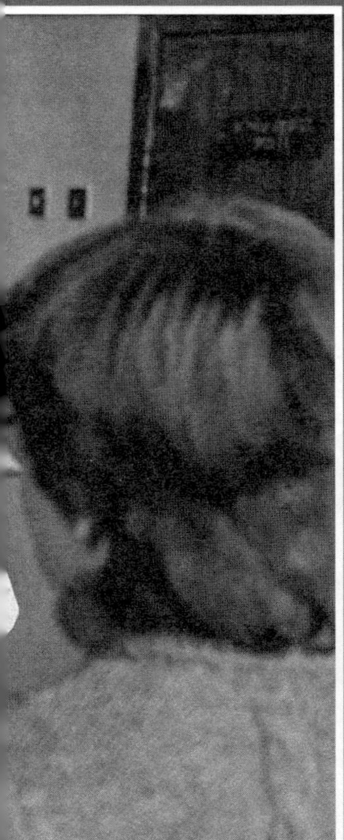

Жить надо так, чтобы было приятно! А у нас люди в большинстве своем совершенно не получают удовольствия от жизни, и это, я считаю, большая трагедия. Нервные, неудовлетворенные и несчастные, они проводят жизнь, решая проблемы, переживая о будущем и с трудом справляясь с настоящим... Целая страна, миллионы живут, не подозревая, что бывает по-другому: без драм, насилия над собой, без тотального чувства вины и стыда.

домочадцами, а на следующее утро платье уже несут сдавать обратно в магазин.

Таким женщинам и остальным, для кого осознать свои желания — задача непростая, я советую оставить людей в покое, а решение о покупке принимать исключительно самостоятельно, не покидая примерочной. Хотите вы купить эту вещь? Нравится она вам? Берите. Чек выбрасывайте на выходе из магазина. Дома сразу отрывайте все бирки и носите выбранную вещь, как бы безобразно она ни смотрелась. Раз уж решили!

А если решили, что проведете вечер дома, в кругу сериалов и детей, — так и сидите дома. И даже если вам звонят и завлекают: «Приезжай! У нас тут круто!» — не надо хватать такси и мчаться навстречу приключениям. Оставайтесь дома: вы же сами хотели.

Не слушайте советчиков, слушайте себя. Что выбрали в меню, то и ешьте! **Придерживайтесь своих решений и уважайте их. Иначе так и будете всю жизнь болтаться во власти внутреннего конфликта между «наверное» и «не знаю».**

У тех, кто в себе уверен, у людей со стабильной психикой и ясным пониманием, чего они хотят от жизни, нет потребности выяснять, что о них думают другие. Существует и обратная зависимость. Поэтому **перестаньте задавать людям вопросы по поводу того, что они думают о вашей внешности, ваших способностях, вашей обновке и прочем. Все, что вам интересно и важно, старайтесь выяснять у себя. Я знаю: это трудно. Это целая работа — не спрашивать. И эту работу вам придется сделать.**

Если вы не хотите идти на работу, если четко делите время на рабочее и нерабочее, а жизнь — на зарабатывание денег и саму жизнь, вы не на своем месте. Рассказываю, как там оказываются. Сначала ни шатко ни валко учатся в школе. Потом поступают в вуз, где поменьше конкурс, а лучше — сильный недобор и военная кафедра. Потом устраиваются на работу даже и не по той случайной специальности, а туда, где попроще. Ведь не уверенные в себе люди не уверены и в том, что они что-то смогут на рабочем месте. Поэтому выбирают не то, что хочется, а то, что «потянут». Как результат — кругом полно несчастных людей, тянущих лямку, а некомпетентность — бич рынка труда.

Мой совет: выбирая профессию, **прислушивайтесь не к здравому смыслу (своей мамы), а к своим эмоциям. Развивайте эмоциональную сферу вместо того, чтобы заниматься целеполаганием. «Поставить цель», «достичь цели» — желанием не является. А что является, вам и надо понять.**

...

— Недавно мама сказала, что, если бы она позволяла мне делать то, что я хочу, я бы целыми днями ел хлопья и смотрел телик. И тут я согласен. А теперь я поступил в институт...

— А в чем вопрос?

— Мне пора определяться со специализацией, я уже хотел выбрать офтальмологию, но мама сказала, что это не перспективно.

— А вам нравится офтальмология?

— Да.

— А вы можете не спрашивать маму, вообще никого не спрашивать и, если вам нравится это направление, на нем и остановиться? Попробуйте так и сделать. И я не вижу ничего страшного в хлопьях. Хотите есть хлопья — ешьте хлопья. Когда-нибудь вы бы остановились. И это была бы ваша жизнь.

...

— Если бы я позволила своему сыну делать то, что он хочет, он бы ел чипсы и играл в компьютерные игры.

— Вот тут облом. Компьютерная зависимость может обернуться психиатрией. И время в сети надо жестко контролировать.

• • •

— Я не люблю находиться среди людей. Но понимаю, что нельзя все время сидеть дома, надо выходить, это может быть интересно. Так что же делать? Бороться с собой?

— Я не люблю вот это «бороться с собой». Когда человек борется с собой, он сам себе проигрывает. Я часто привожу пример, что если вы хотите есть, но при этом хотите похудеть, то на самом деле вы хотите только есть. Потому что вы не похудеть хотите, вы хотите выглядеть стройнее и думаете, что вас за это будут любить. Так вот: не хотите выходить на люди — не выходите. Когда вам станет плохо взаперти, вы выйдете. Но насиловать себя не надо.

...

— Мой сын осторожный от природы. Не хочет даже пробовать новые игры. Велосипеда боялся: пришлось надавить — теперь катается не хуже других, но опять боится что-то осваивать. Как давить, чтобы не перегнуть палку?

— Чтобы не перегнуть палку, вообще не нужно давить.

— Но, если бы я не надавила, он бы не умел кататься на велосипеде! А так он себя преодолел и...

— Ну не умел бы — и что страшного? Он ведь не себя преодолевает, он маму преодолевает. А чтобы вырастить психически здорового ребенка, нужно поддерживать его в том, что он сам хочет делать. И это всё.

...

— Вот вы говорите, надо делать то, что хочется. Мне 30 лет. Я не хочу больше давить прыщики, а это моя работа! И у меня очень много желаний: хочу ехать учиться фотографии в Лондон, хочу побывать в Тибете, хочу выучить китайский язык... И нужно уже определяться.

— «Нужно определяться» желанием не является. Почему вы не едете в Лондон?

— Деньги.

— Деньги — это, конечно, проблема. Но, мне кажется, вы умудряетесь обесценивать свои желания еще у себя в голове. Лондон — дорого, Тибет — далеко. Вы много чего хотите, но ничего не доводите до конца. Все ваши желания сформулированы так: «я хочу, но...» Это распространенная проблема людей с низкой самооценкой: в глубине души они считают все хорошее невозможным для себя, будто они этого не заслуживают... Вам надо разобраться с самооценкой, решить, что вы хотите на самом деле, и найти реальные пути воплощения желания в жизнь. Например, так ли вы хотите в Тибет? Если да, тут нет ничего невозможного.

…

Пока вы не поймете, чего хотите на самом деле, вы никогда не будете спокойны и счастливы…

Пока вы себе не доверяете, вы вообще не знаете, чего хотите. Всего и ничего. Как только вы поднимаете свою самооценку, у вас тут же оказывается только одна версия желаний.

Когда вы должны принять какое-то решение, у вас куча мотиваций: «мы договорились», «давно пора», «я обещал», «так надо» и прочее, а должна быть лишь одна: «я хочу!». И даже в том случае, если это принесет ущерб вам или другим людям.

Если вам сегодня не хочется на работу — возьмите выходной. Если не хочется и завтра — возьмите еще один выходной. А если не хочется послезавтра — меняйте работу. И дело здесь не в лени. Лень — это или проблема с волей, или проблема с мотивацией.

Про внешность

Он был мал ростом и с трудом мог ходить один. Одна нога у него была сухая, а плечи и грудь скрючены… Он был приветлив и обходителен с друзьями, щедр на деньги и в управлении страной охотно слушался своих советников. Народ его любил… Инвги конунг был очень красив…

Норвежский летописец о конунге XII в. Ингви Кривая Спина

Наблюдаю, как прекрасный пол с остервенением бьется над якобы недостатками своей внешности. Мужчины тоже иногда бьются, но не очень самоотверженно — им не так важно красивыми быть, как денег заработать.

Женщины же истязают себя диетами и тренажерами, колют в лицо что попало, каблуки носят чудовищные. Это еще ладно. Но пластика! Нож хирурга! Такое издевательство над собой приравнивается к мазохизму, а те, кто этим занимается, просто несчастные жертвы, готовые на все, лишь бы их полюбили. Абсолютно. Да любые манипуляции со своей внешностью — от автозагара до липосакции — есть демонстрация неуверенности в себе и шаг на пути к нарциссическому расстройству. А это очень неприятное расстройство, когда жизнь не мила без всеобщего и ежеминутного одобрения, а лучше восхищения, а еще лучше обожания.

Самое ужасное, что у жертв индустрии красоты мерилом самооценки является вовсе не внешность, а наличие или отсутствие партнера определенных параметров. Кстати о партнерах: чем ниже самооценка самого мужчины, тем большее значение он придает внешности жены или любовницы. Уверенным в себе это практически безразлично.

Я вообще не понимаю, зачем терпеть, к примеру, болезненные уколы ботокса, когда вся мировая история, наука и житейский опыт прямо-таки вопят о том, что ваша внешность (а также и высокие моральные качества) не играет НИКАКОЙ РОЛИ в любви, влечении, сексе и отношении к вам со стороны окружающих. Там фишка в другом. Ниже скажу в чем.

Ну, все же знают, на ком женился и кого обожал Джон Леннон — мужчина, который мог выбрать любую женщину в мире. И теперь вспомните Йоко Оно. Внешность у нее очень своеобразная даже на японский вкус.

А Пол Маккартни и Хизер Миллз? У этой девушки вообще одной ноги нет, однако ей удалось женить на себе одного из самых богатых и пресыщенных женихов мира. (Еще и обобрать его.)

Идем дальше — посмотрим на мужей Николь Кидман, Дженнифер Лопес или жен Пирса Броснана, Хью Джекмана, Вуди Харрельсона. А последняя жена Вуди Аллена? Не про красоту — это точно.

И ведь ни одного нельзя заподозрить в том, что у него не было секса с красивыми.

И в то же время сколько вокруг красивых и очень несчастных людей. А самая красивая (ладно, самая сексуальная) женщина на земле, о которой грезило 90% мужского населения планеты, чей портрет носили в нагрудном кармане солдаты американской армии во Вьетнаме, Мэрилин Монро умерла от одиночества и в одиночестве. И вообще имела кучу психологических проблем. И это Мэрилин сказала: «Я не привыкла быть счастливой и потому не считала счастье чем-то обязательным для себя».

Отсюда вопрос: вы хотите быть красивыми или счастливыми? Если второе — работать надо не над внешностью, а над самооценкой. **Полюбите себя с любой внешностью, и тогда ваша внешность действительно может быть любой!** Это закон. «Нет, ты полюби нас черненькими, а беленькими нас всякий полюбит», как написано у Гоголя.

Понимаете, внешность — очень субъективное понятие. **ВНЕШНОСТЬ — ЭТО ТОЛЬКО ТО, ЧТО ВЫ ЧУВСТВУЕТЕ, ГЛЯДЯ НА СЕБЯ В ЗЕРКАЛО…** «Я себе нравлюсь» или «я себе не нравлюсь» — вот в чем вопрос.

Да, любовь, как и нелюбовь, к себе возникает не на пустом месте, и все это родом из детства — привет родителям. Если человек не терпит, когда его отвергают, если он априори уверен, что ДОЛЖЕН нравиться людям, а для этого ДОЛЖЕН быть хорошим, — ясное дело, что он понятия не имеет о безусловной (и единственно настоящей) любви. Такого мама с папой любили ой не за просто так! Не за то, что он родился и есть на свете… Они не целовали его в попку и не говорили, что он самый прекрасный в мире ребенок. Не-е-ет. Прямо или косвенно они донесли до него ложную идею хорошести, из которой следует, что любовь надо заслужить, а еще лучше заслуживать ежедневно. А для этого…

«Я буду прекрасной хозяйкой, научусь вкусно готовить, буду выглядеть как конфета, и тогда кто-то обязательно разглядит и мой “человеческий” талант!» — так рассуждает, необязательно вслух, большинство российских женщин. Дорогие мои! Никто вас не полюбит за роскошные ресницы, борщ с котлетой и покладистый характер. Любят за другое! Как говорится, «хорошие девочки отправляются на небеса, а плохие — куда захотят».

Кроме того, вы что, не понимаете, как неестественно себя ведете, когда тупо хотите нравиться? За этим поведением совершенно невозможно разглядеть, какой человек на самом деле, зато всегда можно уловить напряжение и прочитать неудовлетворение и недовольство собой. Нормальных людей все это настораживает и отталкивает. А уверенность в себе, наоборот, — притягивает и не отпускает. Но не только в уверенности дело. Чтобы случилась влюбленность, любовь или страсть, человек должен, что называется, «зацепить». И вот цепляет отнюдь не идеальная форма носа, плоский живот или красивые волосы (разве что в первый момент, на котором может все и закончиться). Неосознанно цепляет что-то из детства: ассоциация, похожесть, запах, жест, манера теребить пуговицу, тембр голоса — словом, какая-то деталь, напоминающая родительский дом и родителя противоположного пола. Эта ассоциация, кстати, необязательно должна быть счастливой. И вот против этого бессильны все ухищрения, пластика, наряды и добродетели…

Для любви нет никакой внешности, есть только характер, «яйца», воля, верность себе. Только это в дефиците в этом мире. И только это вызывает интерес, уважение, желание. И если вам всего этого не хватает, выход один — быть собой. Развивать свою индивидуальность и личностные качества. Не идти на компромиссы. Ну хотя бы не издеваться над собой, не вести себя как жертва!

А лучше следовать своим желаниям, стремлениям, мечтам. Культивировать свою непохожесть на других и ничего в себе не стесняться.

«Ладно, — скажет маленький страшненький чувачок, — вы все верно говорите, и я подписываюсь под каждым словом и могу еще сто раз это прочесть, но уверенности в себе мне это не прибавит. Что делать?» На что я отвечу, что над принятием себя в том виде, в каком вы есть, безусловно, надо работать. Ну, например, попытаться обеспечить себе максимальный психологический комфорт, уважать свои желания, посвящать себе время (и деньги), попытаться получать

Когда психика заточена под волнение, за поводом дело не станет: недомытая чашка в раковине, не опущенное сиденье унитаза, курс доллара, пьяницы в метро... И пошло-поехало с утра. Ведь если у человека есть потребность в постоянных переживаниях, ему необходимо упереться в какой-то негатив, чтобы «успокоиться» и сказать себе: «Я же не просто так волнуюсь, я волнуюсь по поводу!»

удовольствие от жизни, ощутить ее вкус, распробовать, насладиться.

Задача в том, чтобы самостоятельно восполнить недостаток любви, заполнить те пустоты, которые образовались в детстве и юности. Прямо поставить перед собой такую цель, считать ее первоочередной, жизненно важной и не ждать, пока счастливым вас сделают другие.

Другие в вашей жизни появятся и захотят сделать вам хорошо именно тогда, когда вы сами ощутите свою значимость. Ваша внешность — это только ваша самооценка.

Про компромиссы

— Вы думаете, что на чужом дворе деревья повыше, да?
Как можно оправдать то, что вы одновременно и раввин, и гангстер?
— Никак. Я простой малый, который не утруждает себя мыслью
о том, что было бы, если бы он был таким и не был бы этаким.
Я живу в обоих дворах, и мои деревья всегда выше.

К/ф «Счастливое число Слевина»

Когда мужа или жену, празднующих золотую свадьбу, спрашивают, как им удалось прожить столько лет вместе, они обычно отвечают, что, мол, терпение и труд все перетрут и компромиссы — основа мира в семье. Чушь собачья.

Компромисс — это ущербность и самообман, причем самообман из страха. Страхи могут быть разными, а их истоки почти всегда одни и те же, как и последствия компромиссов: человек проживает не свою жизнь, так и не узнав, кто он и чего хотел на самом деле.

А еще некоторые мужчины думают, что обманули весь мир, найдя компромисс: пусть жена стервозная, зато чистюля и вкусно готовит, а если что, у него еще и любовница шикарная есть. Компромиссный вариант. И не понимают, что счастье — это когда жена любимая и домой хочется идти.

А некоторые женщины думают, что это ничего, что муж не работает, зато ведет себя хорошо, тихо, делает все, что просят. И не понимают, что он так себя ведет из страха под названием «лишь бы не орала». Ну и так далее…

Есть такой типа умный способ принять «взвешенное» решение, когда лист бумаги разделяется пополам и в одну колонку выписываются плюсы, а в другую – минусы выбора в ту или иную пользу. Я активно против этого способа. Им пользуются люди с глубоким внутренним конфликтом. И, сделав выбор, они от этого конфликта не избавляются.

5 ТИПИЧНЫХ ИСТОРИЙ ПРО ВРЕДНЫЕ КОМПРОМИССЫ

История первая — о нашем, о де́вичьем

Хотя все условно, и в центре любой из ситуаций может быть представитель любого пола. Они все узнаваемы, и они вокруг нас.

Свадьба на носу, а невеста не очень понимает, как она относится к жениху. И начинает рассуждать: «Мне уже хорошенько за тридцать, а я ни разу не была замужем. Это во-первых. Во-вторых, у меня уже был парень, которого я сильно любила, переживала, ночи не спала, а он относился ко мне несерьезно, даже не предлагал съехаться, сейчас женат на облезлой мочалке. На фига та любовь? В-третьих, мать зудит: "Смотри, пробросаешься". И конечно, конечно! Я очень боюсь остаться одна. Ну а в-главных, товарищи, я понимаю, что мой будущий муж — хороший человек, который станет и хорошим отцом, и надежным спутником жизни. Но если честно, я его не люблю».

История вторая, про работу

Девушка с отличием окончила филфак МГУ, а работает помощником руководителя в небольшой фирме, торгующей комбикормами. Логика такая: «Да, зарплата у меня небольшая, и в офис добираться далеко, и уж точно комбикорм — не то, о чем я грезила, готовясь к экзаменам на романо-германском отделении. Но ведь сейчас в стране кризис! Сколько специалистов ищет работу! И вообще, где вы видели филологов-миллионеров? А я в семь уже дома и могу делать что захочу. Хотя шеф иногда напрягает в выходные, зато посреди рабочего дня я могу под столом читать художественную литературу и учить итальянский. Не век же в секретаршах ходить, может, начну когда-нибудь резюме рассылать на разные респектабельные вакансии».

История третья. Про друзей

Холостяк, не наживший людей, близких по духу. Так получилось. В результате он пьет напитки, от которых ему тошно, в компании людей, которые ему не интересны.

Анамнез: «У меня есть постоянная компания “пацанов”, с которыми мне не так уж весело проводить время. И потому что они вместо “здрасьте” начинают пить, а я не по этому делу. И потому что, напившись, они начинают говорить о бабах и футболе и мне кажется, что я снова в пионерском лагере. Но что я буду делать, если перестану с ними встречаться? Сидеть перед теликом в полном одиночестве? Я слишком живо это представляю, содрогаюсь и поэтому, когда они звонят и говорят “в восемь, как обычно…”, я отвечаю, что уже одеваюсь».

История четвертая. Про римские каникулы

Жена, дети, работа, все путем, денег не то чтоб куры не клюют, но хватает. И тем не менее самое главное путешествие в жизни почему-то откладывается. Мечта остается хрустальной, мужчина чувствует себя не вполне счастливым, но умеет прислушаться к доводам рассудка и очень этим гордится. Типа: «Да, сколько я себя помню, мечтал поехать в Рим и Венецию. Думал, как только заработаю, сразу куплю путевку и туда! Но вместо этого уже 12 лет в отпуск езжу с семьей — то в Египет, то в Турцию. Потому что Европа — это как бы дорого, и не известно, отдохнешь ли там. А тут all inclusive, ешь-пей сколько влезет, сервис, море, еще и экскурсии в разные исторические места. Египетские пирамиды — конечно, не римский Колизей, зато, ептить, одно из семи чудес света. Сфоткался на фоне, выложил в "Одноклассниках" и ВК».

И пятая история. Про родителей

Когда лет в 40–50 человек вдруг осознает, что жизнь прошла, а счастья нету, он начинает искать виноватых, «отматывает назад» и часто обнаруживает, что виноваты родители. Например: «Пожарным я хотел быть до 5-го класса, потом ничего не хотел, а с 15 лет мечтал учиться в МГУ. Мне нравился и истфак, Институт стран Азии и Африки. Я готовился и, думаю, смог бы поступить. Но отец тоном, не терпящим возражений, сказал, что с моими способностями "чуть выше среднего" туда соваться не стоит, что в армии мне за историю все быстро объяснят, а вот, например, в МИСИСе проходной балл вполне реальный, "давай смотреть на ситуацию трезво — сдаем документы туда". Учился через пень-колоду, позже стал искать способы заработать, теперь торгую комбикормами и завидую своей секретарше — она-то окончила МГУ. И, как сказал Карабас-Барабас в известном анекдоте, "не о таком театре я мечтал…"»

Что с ними не так?

Все эти подробности выясняются не сразу, а когда человек приходит к психологу с затяжной депрессией, жалобами на упадок сил, нереализованность в семье и работе, кризис. И надо сказать, что описанные модели поведения характерны не только для российских граждан. (Но вот, например, у нас в стране учителя и воспитательницы детских садов вовсе не те, кто обожает детей, а жены военных.) Но это, так сказать, общечеловеческая проблема, и родом она, конечно, из детства.

И родители, которые не поддерживали своих детей, не считались с их желаниями, игнорировали их просьбы, тут действительно сильно виноваты. Скорее всего, они и сами работали на нелюбимой работе и женились, может, случайно, и дома никогда не обнимались, и тем более не целовались. В детей впиталась вся эта подавленность, рутина и общая неудовлетворенность собой и жизнью.

«Не лезь», «не трожь», «что за руки-крюки?», «ах, ты ГОРЕ МОЕ!», «свалишься же — мозгов не соберем», «не ребенок, а катастрофа», «не ребенок, а сплошное разочарование», «не ходи туда», «туда тем более не ходи» (продолжать можно бесконечно) и прочие характерные выражения убивают в маленьком человеке веру в свои силы, навеки поселяют в нем чувство тревоги и страха и убежденность, что у него НИЧЕГО НЕ ПОЛУЧИТСЯ — ни ума, ни талантов не хватит. Отсюда вывод: мол, надо как-то приспосабливаться, идти на компромиссы с собой и со всеми вокруг. В общем, жить не как хочется, а как можется. И это ужасно.

Ребенок, который с детства слышит «Будешь есть то, что я приготовила», «Будешь носить ту маечку, которую мы с матерью тебе купили», «Поедешь в лагерь, который мы уже выбрали. Мы ведь его оплачиваем!», со временем уверяется в своей ущербности. (Рукоприкладство — отдельная тема. Сейчас лишь скажу, что это совершенно недопустимо.) А повзрослев, в ситуациях, когда надо сделать выбор, он принимает компромиссные решения: «Чем вообще ничего не получится, гарантирую я себе хотя бы минимум благ» (институт с невысоким проходным баллом, работу с небольшой зарплатой и прочее). Ведь он не верит ни в себя, ни в поддержку окружающих. Он представления не имеет, что это такое и где все это брать. И еще боится.

Есть такой типа умный способ принять «взвешенное» решение, когда лист бумаги разделяется пополам и в одну колонку выписываются плюсы, а в другую — минусы выбора в ту или иную пользу. Я активно против этого способа. Им пользуются люди с глубоким внутренним конфликтом. И, сделав выбор, они от этого конфликта не избавляются. Хваленый список плюсов и минусов так и болтается у них внутри, провоцируя невроз, а в своем решении они все равно сомневаются.

Я не сторонник и такого семейного строительства, когда психолог разбирает конфликты пары и вместе с супругами ищет возможности для компромисса. Я уверен, что муж очень недолго будет опускать сиденье унитаза в обмен на то, что жена перестанет курить на кухне (и потому, что его психолог попросил). **У пары есть шанс только в том случае, если муж опускает сиденье просто потому, что его жена попросила, а он ее очень любит и не хочет огорчать. А не потому, что жизнь состоит из компромиссов.**

ЧТО ДЕЛАТЬ?

- Принимая решения, руководствуйтесь в первую очередь критериями «хочу — не хочу» и в последнюю — «так правильно», «так эффективно». Ориентируйтесь на свои желания, интуицию, внутреннее чувство. Никакого рацио.
- Самое главное: попытайтесь своими силами сделать то, чего не произошло с вами в детстве, — полюбите себя.
- Никогда и ни от кого не терпите то, что вам неприятно. Приучайте себя сразу говорить о том, что вам не нравится. Ведь любой компромисс вынуждает вас делать то, что вы не хотите и не любите. А значит, делает вас несчастными.

Если та невеста откажется от мысли выходить за нелюбимого, с уважением и любовью отнесется к себе и своим чувствам, она обязательно встретит мужчину своей мечты и будет счастлива.

Если помощник руководителя поверит в то, что ее способности (и другие исходные) позволяют ей претендовать на вакансию мечты, она ее получит. И не одну.

Если мужчина однажды покинет бар, ту компанию, которая давно обрыдла, и начнет заниматься развитием своей личности, своей индивидуальности, делать то, что ему интересно, ходить туда, куда ему хочется, то он, конечно, встретит новых друзей, да еще и женится по любви.

Ну а глава компании по продаже комбикормов, полюбив себя, поймет, что и в 50 лет не поздно идти учиться на историка и реализоваться в том деле, к которому лежит душа.

Так это работает. Я бы даже сказал — только так это работает. Люди, занимающиеся любимым делом, чувствуют драйв, их прет по жизни, они получают от работы удовольствие и как следствие зарабатывают намного больше тех, кто «тянет лямку». Поэтому есть и филологи-миллионеры, и нищие психологи. А я вот, например, хорошо зарабатываю…

Компромисс — это когда вы делаете то, чего вы делать не хотите. И в этом вся трагедия. Потому что человек счастлив в личной жизни и эффективен в работе только тогда, когда делает то, что любит.

Про мужчин, женщин и психологов

Можно мотаться, быть усталым, измотанным,
иметь серьезные проблемы, быть простуженным,
но при этом быть абсолютно счастливым. Абсолютно.

Евгений Гришковец

Психологические проблемы российские мужчины относят к тем проблемам, которые они в состоянии и ДОЛЖНЫ решить сами. В особо острых случаях я даже спрашиваю упрямцев: «А простатит вы себе правой рукой лечите или левой? А зубы сверлите сами? Что ж голову так запустили? И с чего решили, что тут прокатит самолечение?»

Ну не все проблемы человек может решить сам! Каким бы умным и сильным он ни был. И психологические проблемы — из их числа. Тут себе помогать надо. Предположим, у вас все чаще плохое настроение, вы вечно всем недовольны, появились проблемы со сном, а проявления агрессии становятся привычными. При этом вы еще курите, пьете, у вас тахикардия и избыточный вес. Казалось бы, ничего страшного — вы типичный российский мужчина. Но вдруг захотите избавиться хотя бы от одного из симптомов, причиной которых запросто и скорее всего может быть нарушение метаболизма нейротрансмиттеров? Внимание, вопрос: сами себе будете восстанавливать серотониновый метаболизм? Вы что — ингибитор обратного захвата?

Но нет, внутренний голос твердит: «Я же мужик», «Я сам! Я самец!», «Как можно плакаться и рассказывать о своих проблемах чужому человеку?». Под чужим тут понимается психолог. А самое страшное даже не это.

Очень мужественно пытаясь быть объективными, мужчины становятся сами себе аналитиками и, как им кажется, проницают все причины и следствия. Самодиагностика происходит на уровне «У меня бессонница, потому что я перенервничал из-за проекта (аварии, ссоры, кредита)», «Мне так плохо, потому что я постоянно боюсь увольнения (несчастлив в браке)» и, наконец, «Я так много пью, потому что у меня работа нервная (жена стервозная, жизнь не удалась)».

И самое потрясающее: «Я не хочу жить, потому что меня девушка бросила (муж ушел)»…

Нет, дорогие мои! Заблуждаетесь! Со всем этим люди хотят жить и живут: хорошо спят после аварии, обнимаются после ссоры, берут и отдают кредиты; нормально себя чувствуют даже на фоне непонимания в семье, в конце концов, образуют новую; кому-то прекрасно удается не напиваться, работая на нервной работе (или поменять работу, или снимать напряжение здоровыми способами). И ведь подумайте — далеко не все теряют желание жить даже после расставания с любимыми.

Но во время самодеятельной, такой кухонной психологизации проблемы («У меня депрессия, потому что…») происходит подмена причины и следствия. Понимаете, вы плохо спите, пьете и депрессуете вовсе не из-за внешних причин! Причина всегда внутри, причина ВСЕГДА в нас самих. Погода плохая и поэтому у вас плохое настроение? Ерунда. Оно и в хорошую у вас плохое.

Однажды во время эфира на «Эхо Москвы» позвонила девушка, и у нас состоялся такой примерно диалог:

Мо-лод-цы!
Не робейте, мы с вами!
Мы — за вас!

Каждый вправе жить как хочет. Если родные или друзья не принимают ваш выбор, это уже их проблема. У вас своя жизнь, у них – своя. Любовь – это когда вас любят таким, какой вы есть, не пытаясь «улучшить». Если вам важно поступать по-своему, нужно заранее договориться с собой о том, что вы знаете последствия, готовы к потерям и не боитесь их.

Она: Как только я начинаю намекать на расставание, мой парень говорит, что, если я его брошу, он спрыгнет с крыши. Два года продолжаются отношения, силы мои на исходе. Что делать?

Я: Как вы думаете, все ли парни, которых бросают, прыгают с крыши?

Она: Нет.

Я: Так, значит, дело не в том, что вы его бросите?

Она: А в чем?

Я: А в том, что у парня есть суицидальные мысли, он не контролирует свои эмоции и еще у него может быть куча диагнозов, вплоть до маниакально-депрессивного психоза. Он страдает и будет страдать дальше не из-за вас, а из-за проблем с психикой. Повод всегда найдется — было бы желание! Налицо попытка привязать к себе с помощью шантажа и угроз и, с точки зрения психолога, — явная психопатология.

А теперь посмотрим, какова ситуация с точки зрения самого парня той девушки? Она его бросает, он начинает искать пятый угол, всячески истерит (а возможно, и предпринимает попытки самоубийства) и при этом рассуждает следующим образом: «Я ее любил, а она меня бросила, и это — ОБЪЕКТИВНАЯ причина для того, чтобы впасть в прострацию (как вариант — пуститься во все тяжкие, уйти в запой и прочее)».

Надеюсь, все понимают, что ничего объективного тут нет? Что многие в сходном положении ведут себя совершенно иначе?

Так вот, женщина, чувствуя, что ее засасывает в пучину отчаяния, констатирует, что у нее есть проблема и ее надо решить. И что проблема эта не в неудачном романе, а в том, как она на него реагирует. Не справляясь с ситуацией, женщина обычно не стесняется попросить о помощи и принять ее. Это важнейший социальный навык и самая конструктивная реакция на любой личностный кризис. В отличие от попыток «оценить объективно», справиться самостоятельно и «разобраться как-нибудь»...

В понимании доморощенных психологов быть объективными — значит задавать риторические вопросы: «Как она могла?», «За что мне это?», «Почему на меня все это свалилось?».

Но чтобы разобраться с ситуацией по-настоящему, надо спрашивать не «почему она?», а «почему Я?»; не «как он мог?», а «как Я оказался в такой ситуации?». Вопросы всегда надо задавать не про других, а ПРО СЕБЯ! И искать на них ответы.

Женщине важно скорее вернуться из кризиса в строй, работать, общаться, двигаться вперед. И когда проблемы у детей — к психологу традиционно обращаются мамы. Женщины вообще более живучи и легче приспосабливаются к меняющимся обстоятельствам. Например, когда на дворе экономический кризис — идут получать новую специальность, пока безработный мужчина страдает у домашнего компьютера, играя в «танчики». Ну, это-то общеизвестно. И показательно.

Часто бывает, что, пытаясь решить проблему, женщина приводит в кабинет психолога (в 80 случаях из 100 именно приводит «на аркане») своего мужа. В 50 случаях из тех же 100 он сидит к психологу вполоборота и на вопрос «кто хочет начать?» никак не реагирует, даже не шевелится. Не человек, а сам себе памятник. Типа ему все это не интересно, лично у него нет проблем, это все она... Но! После первой же жалобы жены очень включается в разговор и от деланного равнодушия быстро переходит к обвинениям.

Это очень распространенная ситуация, когда мужчины вообще не признают наличия какой-либо проблемы, прикрывая неблагополучие внешними эффектами. И разрешить, к примеру, семейные противоречия не могут, и прибегать к помощи не хотят, и разводиться боятся. Женщину, если снова влюбляется, как правило, не останавливает даже наличие детей — она уходит к своему возлюбленному. А вот мужчины в такой ситуации с удовольствием ведут двойную жизнь. (И вообще 70% разводов происходит по инициативе женщин, хотя по идее они больше заинтересованы в браке.)

Обращаясь к женщинам, предпринимающим попытки отвести своих мужиков к психологу, замечу, что, если проблема в отношениях существует, доставляет вам боль или дискомфорт, действительно решать ее лучше вдвоем. Но если ваш муж/партнер отказывается идти с вами к психологу, заставлять его не надо. Предлагаете это один раз максимум. Но надо спросить себя: «Раз он не со мной в моих и наших общих проблемах, раз он мне не друг — а нужен ли мне такой муж/партнер?» Потому что мужчина, который любит и заинтересован в продолжении отношений, согласится на все, если есть шанс, что вам станет легче. Даже если сам не верит в возможный эффект.

Меня часто обвиняют в категоричности, мол, я все время советую рвать отношения, если что-то пошло не так. Тем временем я советую рвать отношения, только если хотя бы одному из участников этих отношений плохо, страшно, неуютно живется. И наоборот, какими бы ни были отношения пары по мнению окружающих, если им хорошо, я советую не навязывать им проблемы. Например, некоторые жены смиряются с алкоголизмом мужей и живут себе дальше. А вот некоторые пилят, ставят ультиматумы, уходят и возвращаются и, апофеоз, — пытаются спасти и тащат к специалистам, психологам в том числе... Все это абсолютно бесполезно до тех пор, пока сам алкоголик не считает свой алкоголизм большой проблемой. И до этих самых пор — это проблема жены: он спокойно пьет, а ей не живется! Совет женам алкоголиков: либо примите его пьющим (может, вам такой и нужен), либо ищите себе другого. Других вариантов не существует.

Признаю, в России пойти к психологу для мужчины — это почти подвиг. У нас путают психологов, психотерапевтов и психиатров, не представляют, как все это работает и как может помочь. В ответ на предложение обратиться к специалисту кричат: «Я что, ненормальный?!» Целое общество живет с незакрытым гештальтом. И с этим надо что-то делать.

А напоследок я скажу: изображать, что все в порядке, объяснять тревожное состояние плохой погодой, инфляцией и несговорчивостью противоположного пола — это значит терять время. Жизнь проходит, а радости никакой! Вы не получаете самого драгоценного, что может быть, — удовольствия от процесса. Может, вам нужен дофаминовый препарат или ласковое слово психолога — и все наладится? Попробовать-то во всяком случае можно.

Про соцсети

Девочка, живущая в сети…
Нашедшая любовь
Между строк,
Между небом и землей,
Пальцами пытаясь угадать,
Надеясь угадать
До конца…
До конца…

Земфира

Общение в соцсетях снимает напряжение, но усиливает желание. И если это желание долго не удовлетворять, чувство одиночества только нарастает. Переговоры по телефону, переписка в Facebook и ВК, в WhatsApp или Skype хороши в том случае, если рано или поздно заканчиваются словами «УВИДИМСЯ ЗАВТРА».

И ладно — общение. Некоторые дамы (мужчины в меньшей степени) умудряются верить в отношения в соцсетях. Не завязавшиеся там и плавно перетекшие в знакомство, а именно существующие только в электронном виде, длительные, продолжающиеся и никак не дорастающие до объятий. Типа «у нас духовное родство» и эпистолярный роман. Хочется спросить: вы где живете? В реале или в виртуальном мире? Если первое — так и отношения нужно заводить тут, на поверхности, и с тем, кого можно пощупать. А если второе — у вас проблема.

Переписка, какой бы эмоциональной она ни была, — это всего лишь обмен информацией. А общение, **настоящее общение, которое дает нам радость, тепло, чувство локтя и защищенности, общение, на котором строится чуть ли не самое важное в жизни — любовь и дружба, оно возможно, только когда люди сидят рядышком на диване, скамейке, подоконнике, за столом, в креслах кинотеатра... Прикосновения, взгляды, мимика, жесты, интонации, выражения глаз — вот что важнее всего в общении. Так уж устроена человеческая психика, что для счастья все это гораздо нужнее слов!** Да и любой другой информации. Для тех, кто сам не понимает, ученые доказали научно и экспериментально жизненную необходимость прикосновений, обнимашек и контакта глазами. Есть даже статистика: 80% потребности в общении удовлетворяется за счет обмена эмоциями. А эмоция, переданная вербально, — ущербна, половинчата по своей сути. Почему, вы думаете, при таком фантастическом уровне развития технологий, кино и телевидения театр жив и помирать не собирается? Да потому, что там эмоции — живые, контакт — прямой. Вот и происходит именно что соприкосновение с искусством, вызывающее яркие эмоции и ни с чем не сравнимые глубокие чувства.

Конечно, в театре играть сложнее, не все умеют отдавать энергию, светить и излучать. Вот почему все театральные актеры могут играть в кино и далеко не все киноактеры убедительны на театральных подмостках. Представьте в театре, например, Тома Круза. Это ж лажа. И конечно, поддерживать отношения в реальной жизни сложнее, чем в виртуальной. Но от них, простите, и отдачи больше.

Помимо общения в соцсетях есть еще тупое сидение в соцсетях. Просиживание. Многочасовое, многолетнее. И все знают, симптомом какого заболевания оно является — симптомом неудавшейся жизни. Полного провала. Недостатка реальных событий и реальных друзей. Нехватки радостей и смыслов. В своей жизни тухло — посмотрим на чужую и поживем в ней. Это было всегда: подсматривание в окна и замочные скважины, обсасывание слухов, коллективные обсуждения и осуждения тех, кто живет активно, насыщенно и без оглядки. Теперь сплетни обрели иной масштаб и форму, но причины остались прежними — скука и лень.

Предлагаю отслеживать и пресекать собственные попытки жить в параллельных мирах и тем более — склонность к подобному у детей. Как только ребенок вместо того, чтобы пойти поиграть в футбол, садится за комп, прибегайте к любым средствам, но не допускайте зависимости! Это та самая привычка, которая становится судьбой: от стрелялок и ников вместо имен друзей — к соцсетям, сайтам знакомств и виртуальному сексу вместо отношений и семьи. **Доза, которую я считаю безвредной для психики ребенка, это 1,5 часа «в компьютере» в будние дни и 4 часа — в выходные. Включая время на уроки** (рефераты, доклады и прочее).

Помните, что общение в интернет-сообществах только усугубляет коммуникативные проблемы детей, да и взрослых: вместо того, чтобы выйти наконец на контакт с внешним миром, они продолжают погружаться в себя.

Сам я обожаю зайти в Facebook после трудового дня, постить и смотреть всякую ерунду. Но я много работаю, каждый день много чего происходит, и поэтому улечься на диван с планшетом — святое дело. И я понимаю тех школьников, которые, отсидев в школе семь-восемь уроков, выслушав выговор от классной, притаскиваются домой и пытаются отвлечься с помощью интернета. С кем не бывало. И это нормально, когда посты, комменты, фоточки, ролики и игры — дополнение к насыщенной жизни. Плохо, когда они ее заменяют.

Теперь снова про вас, взрослые. Один из верных признаков зависимости от соцсетей — это когда, едва проснувшись, первым делом вы лезете проверить, что же произошло за ночь в Facebook, «ВКонтакте», Instagram и прочем. Надо же узнать, сколько лайков, сообщений в личке, ответили ли вам, заценили ли, подтвердили ли дружбу? Вы ищете знаки одобрения со стороны сообщества, так называемые социальные поглаживания, которые стали интереснее настоящих! Или когда, отключившись от Всемирной сети, выйдя с работы, вы тут же лезете в смартфон, а придя домой, сразу врубаете домашний компьютер и выходите в онлайн. Почему? Да потому что вот чем вы дорожите, вот что вы боитесь прервать — свое существование в онлайне!

Все это признаки серьезных неполадок в вашей реальной жизни, и ею-то вам и нужно заниматься. Немедленно.

Еще одна разновидность беглецов из реала — это люди, которые после работы не спешат встретиться с друзьями или пообщаться с детьми. Они говорят домашним: «Дайте мне нормально отдохнуть!» — и садятся смотреть сериал. Понимать такое нужно как «дайте мне отдохнуть от моей жизни». Ведь если просто фильм — это история, начало и конец которой умещаются в два часа, то сериал — это буквально параллельная жизнь, в нее зритель погружается с макушкой и живет внутри нее годами. Никто не вцепляется в ручки кресла в кинотеатре и не теряет смысл существования, когда заканчивается киносеанс. А с сериалами не так — на них подсаживаются, из-за них нешуточно переживают, ждут, спорят, фанатеют. Сериал становится важнее живого разговора, встречи, свидания. Люди перестают путешествовать, ходить в гости, праздновать семейные праздники, почти что переселяются в воображаемый мир, и дети ходят на цыпочках, когда у мамы на экране Тирион Ланнистер.

Если такое происходит постоянно — это ли не повод спросить себя: «Что не так? Что меня тяготит в реале? От чего я так устаю? От работы, которая мне не нравится? От каких-то отношений? Каких именно? От конкретного человека, ситуации, конфликта?»

И вместо того, чтобы пялиться в телик или монитор, надо взяться за выявление и разрешение конкретных проблем. И тогда обязательно наступит день, когда вы будете просто счастливы большим человеческим счастьем, и это будет не в день выхода нового сезона любимого сериала.

Про психологию жертвы

Я не встречал в природе жалости к себе.
Любая птаха, коль с ветки упадет, закоченев
от стужи, не испытает жалости к себе!

Дэвид Герберт Лоуренс

Мы не про те жертвы, о которых говорят в новостях, — не про жертвы катаклизмов, насилия и других массовых трагедий. Мы поговорим про одиноких жертв другой войны — в основном на семейном фронте.

О тех, кого с детства никто не поддерживал, на кого орали родители, кого насмешливо критиковали, от кого ждали чего-то определенного и кто никак не мог оправдать родительских ожиданий, как ни старался… И кому с тех пор все время за что-то стыдно и неудобно. У кого собственные желания и интересы отошли на второй-третий план, а то и вовсе забылись, потому что ведь хочется быть хорошим любой ценой!

О тех, в кого родители вколотили чувство вины, кого постоянно сравнивали с другими детьми, кто периодически чувствует себя лузером, для кого любовь — это жалость к себе.

О тех, кому одиноко, кто не верит, что достоин чего-то большего, кто в разговорах и в мыслях все больше жалуется, завидует либо бесплодно мечтает, но ничего не делает, чтобы изменить жизнь. А жизнь тем временем проходит в страданиях. Жаль…

О том, как можно зажить по-другому: уверенно делая то, что хочешь, окружая себя любимыми людьми, получая деньги, занимаясь любимой работой.

Есть статистика, по которой даже в ДТП часто попадают одни и те же люди. В ситуации опасности они ведут себя очень специфически — заранее сдаются, не сопротивляются, подставляются, ну и получают по полной. Это и есть психология жертвы. В обычной жизни они подставляются тоже.

С «жертвами» никто не считается, им изменяют, на них вешают всех собак и большой объем работы.

Они не умеют говорить «нет», ведут себя так, чтобы только никого не обидеть, «лишь бы не было войны». Они так добры, что прямо костьми ложатся, защищая чужие интересы, иногда даже в ущерб своим собственным. Сжав зубы, они терпят обиды и унижения.

Отступить, отойти в сторону, смириться, сделать больше — получить меньше.

Взвалить на себя чужие заботы, а также и вину за все плохое, происходящее вокруг.

Промолчать, проглотить обиду, затолкать обратно себе в глотку важные слова, проигнорировать свои мечты и желания.

Позволить собой помыкать, и как результат — постоянное недовольство собой и своей загубленной жизнью... Знакомо?

У «жертв» дела обстоят именно так.

Если в ситуации гражданского брака девушка ведет себя как жертва, на ней никто и не женится. Зачем? Она ведь и так никуда не денется. Обычно жертва точно знает, кто виноват во всех ее несчастьях, жалуется на обидчиков и при этом ничего не меняет.

Если женщина в браке или отношениях ведет себя как жертва, ей же просто грех не изменить! В случае чего она, конечно, всплакнет, выскажется в стиле «козел», «загубил мою молодость»,

Не могу сказать, что всякий упорный труд дает результаты, соответствующие упорству. Иногда вообще не дает. И наоборот. У каждого ведь есть знакомый, который зарабатывает больше вас, не прилагая усилий...

Запомните правило трех В.

Это три вещи, которые никак не влияют на отношения: ВНЕШНОСТЬ, ВОЗРАСТ и ВЕС.

В любой зависимости до поры до времени ты уверен, что это любовь. Ситуация меняется ровно в тот момент, когда осознаешь, что просто зависим, болен и слаб.

уйдет к маме для приличия… Но потом ведь вернется. И все продолжится. И мужчина это знает. Здоровая ситуация — это полная уверенность, что, раз изменил, жену он больше не увидит. По крайней мере на своей кухне и в своей постели.

Чувства обиды и унижения (ну, еще страха) — главные чувства человека с психологией жертвы. Если ему что-то не нравится, он не говорит об этом сразу! Нет! Он дает недовольству и обиде хорошенечко созреть, забродить. А потом ждет, чтоб этих обид накопилось побольше. Чтоб ими поупиваться. Дойти до края. И выступить потом в том смысле, что «сколько ж можно меня мучить?».

«Жертвы» никогда не понимают слова и жизнь буквально! У них всегда наготове обида. Заранее. А психически здоровые люди не ищут в словах двойного смысла и не пытаются залезть в чужой мозг, чтобы понять, что там происходит.

«Жертва» любит сама у себя провоцировать страдания. Например, возвращаясь к мучительным воспоминаниям.

Любовь — это только попытка повторить свои детские переживания. И если отношения с родителями были напряженные, нездоровые, невротические, любовь у человека ассоциируется с ощущением потери, страха, тоски, одиночества и прочим. И он ищет партнера, в котором хорошо разместятся обида и чувство унижения. Такого партнера, по отношению к которому он будет чувствовать себя жертвой. Обычно такой человек находится легко.

При наличии хотя бы одного из симптомов пора приниматься за лечение. Если понадобится — с помощью «хирургического» вмешательства и ломки привычных образцов поведения.

СЛОВА И ВЫРАЖЕНИЯ,
которыми «жертвы» склонны злоупотреблять

- «Извините!»
(в том числе тогда, когда им наступили на ногу, нахамили, уволили и прочее).
- «Мне так неудобно!»
(за себя, своих родственников, всех вокруг, за страну, «за наше прошлое», за действия правительства и прочее).
- «Что я вам плохого сделала (сделал)?»
- «Да сколько ж это может продолжаться?»
- «Как ты мог (могла)?»
- «ЗА ЧТО МНЕ все это?»
- «Мне так больно!»
- «Мне так обидно!»
- «Я вас не обидел (обидела)?»

Надо ли говорить, что жертвы — вечно несчастливы и больны?

НАДО НАУЧИТЬСЯ

- Говорить «НЕТ»;
- изживать желание нравиться всем;
- уважать свои эмоции
 и дышать полной грудью;
- любить себя и других;
- жить радостно и счастливо и, наконец, избавиться от тяжелой детской истории.

Про работу и деньги

— Вы сильный, вы сможете!
— Я умный — я даже не возьмусь…

Анекдот

Прямой зависимости между счастьем и количеством денег не существует. Она возникает только в случае серьезных проблем со здоровьем. Все остальное — состояние психики.

При здоровой психике человеку нужно столько денег, сколько он может проесть.

Невроз по поводу денег напрямую связан со страхом перед жизнью во всех ее проявлениях: перед отношениями, перед людьми, перед неизвестностью…

Главное, что можно сделать в критической ситуации, — проговорить (или сформулировать для себя любым другим способом) самый плохой сценарий развития событий. Ведь зачастую самое страшное — это неопределенность.

Многие начинали зарабатывать, надеясь, что деньги помогут им избавиться от комплексов. А напрасно. Деньги эти комплексы только маскируют.

У меня был близкий друг, который то и дело отменял встречи со словами: «Сегодня не получится — у меня тяжелые переговоры» или «Не смогу — ко мне немецкие партнеры приехали»… Я понял, что его жизненный выбор — это деньги. А дружба, отношения, общение остались где-то даже не на втором, а на каком-то там предпоследнем плане. А у вас?

У всех у нас есть право на тревогу о завтрашнем дне и переживания по поводу денег. Это нормально. Ненормально, когда человек только переживает. Прямо так переживает, что ничего делать не может. Застревает в ситуации. Лучше, конечно, не переживать и действовать. Но можно нервничать, рвать и метать, но обязательно что-то предпринимать, двигаться дальше.

Я часто провожу консультации по Skype с нашими соотечественниками, которые живут и работают за границей. Среди них нет москвичей и питерцев, они из таких поселков, названия которых я никогда не запомню и не выговорю. Они окончили местные вузы с очень низким российским и международным рейтингом, но очень хотели другой жизни и много сделали, чтобы все изменить. И теперь работают химиками в Германии и гинекологами в Швейцарии. Если вы чем-то недовольны, надо не ныть, а предпринимать конкретные действия.

Главное — не останавливаться! Вполне вероятно, что кризис откроет новые перспективы и возможности, поможет изменить жизнь к лучшему. В конце концов, **вопрос не в кризисе, а в том, как человек его воспринимает.**

Чтобы найти работу, нужно точно определиться с тем, где хотите работать, сколько зарабатывать, найти все компании и вакансии, которые соответствуют вашим требованиям. И конечно, написать резюме. И подойти к нему творчески, с огоньком! Не просто рассказать все, что происходило с сегодняшнего дня и до школы. **Резюме надо писать как стихи или роман. Причем для каждого работодателя — новый.**

Это как в театре: пьеса одна, а играют ее каждый раз поразному.

К собеседованиям тоже нужно подготовиться: научиться не отводить взгляд, не мямлить, смотреть в глаза, уверенно подтверждая все, что уже написано в резюме.

Если становится ясно, что найти работу прежнего уровня невозможно, надо заранее быть готовым снизить свой статус, не бояться начать все заново.

Если вы уже чего-то достигли и сумели заработать, вы сделаете это снова. Как невозможно разучиться плавать и ездить на велосипеде, так невозможно разучиться оставаться на плаву в житейских бурях.

Способность перестроиться во многом зависит от того, насколько человек открыт для новой информации и готов поменять свои планы. Кстати, это в большей степени связано с полом, чем с возрастом, — женщина спокойнее относится к тому, что вчера работала в банке, а сегодня полы моет. Мужчина же существо более консервативное и обремененное гордыней: «Я на такую работу не пойду, я за эти деньги работать не буду».

Предприниматели, на которых лежит бремя ответственности за сотрудников, должны понять, что есть ситуации, когда от них ничего не зависит. Происходящее в экономике страны — не ваша вина. Это же не вы увольняете людей, это ситуация их увольняет. Не вы закрываете бизнес, а ситуация. Надо смотреть в свою тарелку и не пытаться объять необъятное и горевать за всех людей.

А вот люди, помешанные на деньгах, убеждают себя и членов семьи, что их лихорадочная деловая активность жизненно необходима. Но зачастую это просто попытка сбежать от личных проблем. Когда человек «уходит в работу», чтобы реже бывать дома, становится трудоголиком — налицо невротические проблемы и состояние стресса.

В здоровой ситуации, когда человек занимается любимым делом, реализует себя, свои идеи и таланты, — он не делит время на работу и отдых. Он просто живет.

Деньги играют преувеличенную роль в жизни многих бизнесменов. Они до смерти боятся потерять состояние, потому что не представляют, как можно вообще жить без больших денег и при этом чувствовать себя счастливыми. И именно поэтому остро реагируют на кризисные ситуации.

«Ты что, хочешь, чтобы мы жили на съемной квартире?» — говорят они в ответ на робкую просьбу побыть дома на праздники. «Ты хочешь, чтоб наш сын учился в обычной школе? Нет? Тогда закрой рот, а папа пошел деньги зарабатывать».

И жены, которые выходили замуж ради благосостояния, действительно помалкивают и спокойно живут своей жизнью на деньги мужа. Но женщина, которой важно человеческое общение и любовь, уйдет от помешанного на бизнесе. Ей не нужен муж, который меняет ее на деньги, да еще и объясняет это ее интересами.

Откладывая деньги, вы отнимаете их у себя и своей сегодняшней полноценной жизни. Вы обслуживаете свои страхи и укрепляете в себе психологию нищего человека. Который настолько в себе не уверен, что не знает, что же он будет делать, если проснется, а денег нет.

Если вы осознали, что постоянно испытываете чувство страха и тревоги, не получаете удовольствия от жизни, значит, пора остановиться и принять тот факт, что у вас проблема и она не связана с работой и бизнесом, а связана с вашим психическим состоянием. Обиды, неуверенность, психотравмы — вот с чем надо работать.

Я против усиленного контроля над расходами, против тетрадочки, куда записывается, сколько сыра мы съели на этой неделе. Это бред. Я уверен, что надо не меньше тратить, а больше зарабатывать. Возможности для этого есть ВСЕГДА!

В дикой природе выживают только те животные, которые могут себя прокормить. Если вы этого не можете, значит, у вас есть какая-то психологическая проблема. И над ней надо работать. Психически здоровый человек всегда найдет себе применение и «пищу», не впадая в крайности…

Низкая самооценка становится препятствием на пути к успешной карьере только тогда, когда человек не может реализоваться, найти себя. Начинается это еще в школе. Ребенок плохо учится, его шпыняют, он еле сдает выпускные экзамены и выбирает не профессию, к которой душа лежит, а вуз, в который есть шанс поступить. На работу устраивается по тому же ущербному принципу. Вакансия — попроще, еще на собеседовании работодателю становится ясно, что соискатель не уверен в себе, ни на что не претендует, что ему можно поручить рутину, свалить множество скучных обязанностей: ни жаловаться, ни тем более требовать большой зарплаты и должности он не будет. И вот человек соглашается на то, что ему не очень-то нравится. А чего сам хочет, даже и не знает по-настоящему…

Мне часто приходится консультировать жен состоятельных людей, и я их спрашиваю: «А чем бы вы хотели заниматься в жизни?» И почти всегда выясняется, что собственных идей и желаний у них нет. Почему нет — другой большой вопрос про детство, родителей, которые подавляли, не считались с желаниями и просьбами ребенка и в результате вырастили человека, который не любит и не понимает себя. А как результат — не находит своего предназначения и проживает жизнь, в которой то и дело смиряется с обстоятельствами.

Я не думаю, что учеба в частной, например, британской школе — залог успеха. Есть статистика, факты: у многих миллионеров с образованием все очень запущенно. Они бросали колледжи и престижные университеты ради того, чтобы начать заниматься бизнесом. При этом (и, возможно, именно поэтому) у них отсутствует страх перед неудачей, они умеют нестандартно мыслить, рисковать, плюют на правила и авторитеты. Разве этому учат в школе? По моим наблюдениям, для успеха в бизнесе в первую очередь нужно ничего не бояться.

А частные британские школы — это ведь продукт на экспорт. Учат ли там самостоятельности, умению принимать решения, отвечать за свои поступки, отстаивать свое мнение, общаться, дружить? Мне кажется, что и двоечник из государственной школы в бедном районе может стать успешным бизнесменом, и выпускник престижного частного колледжа может оказаться неудачником. Все индивидуально!

Моя дочь училась в бесплатной государственной школе в Иерусалиме. Это школа, которую окончили братья Нетаньяху, один из них является действующим премьер-министром Израиля. И хотя училась она там только до 8-го класса, знания получила серьезные, и английскому научили прекрасно.

Человеку должно нравиться то, что он делает, он должен ХОТЕТЬ ДЕЛАТЬ ИМЕННО ЭТО, понимать свои желания и следовать им. А в остальном — важна опять-таки **уверенность в себе; умение** доверять своим решениям, желаниям, чутью; **понимание** причинно-следственных связей; способность ставить большие цели и совершать большие поступки.

Я не рассматриваю деловой успех в отрыве от элементарного человеческого благополучия. Богатые, успешные в бизнесе люди очень часто бывают несчастными. Я много таких видел — большинство из них реальные невротики.

Амбиции ведь возникают, когда человек не нравится себе в своем нынешнем виде и лезет из кожи вон, чтобы доказать, что он чего-то сто́ит. Он постоянно сравнивает себя с другими и все время проигрывает это сравнение в своих глазах. Происходит смещение целей. Вместо того чтобы воплощать в жизнь собственные устремления, реализовывать свои таланты, способности, желания и мечты, человек напрягается, жизнь кладет, потакая своим амбициям и пытаясь выиграть какое-то соревнование, навязанное самому себе… Ну, допустим, выиграл. Счастлив он? Не факт.

Я стою на том, что амбиции здоровыми не бывают. И точка.

Наша самооценка очень избирательна. Здоровая ситуация, ситуация нормы — это когда человек принимает и любит себя всего целиком. Все ему в себе нравится: и внешность, и животик, и лысина, и то, как он мыслит, и как общается… И как раз это-то не часто встретишь. Обычно люди говорят о себе так: «Я себя оцениваю объективно — как работник я хорош, но как руководитель не тяну» или «Внешность у меня яркая, но убеждать я не умею». Идет это, конечно же, тоже из детства, если родители делали акцент на каких-то качествах ребенка, например мама говорила подружке по телефону: *«Она у нас страшненькая, но старательная»* или *«Сынок, хоть и туповат, мыслителем ему не бывать, зато, может, по спортивной линии пойдет»*…

Так вот, только тот, к кому с рождения относились с безусловной любовью, полностью уверен в себе. Если же этого не было — самооценка основательно хромает. И в этом случае я советую восполнить недостаток любви и уважения к себе.

Уважайте и любите себя настолько, насколько хотели бы, чтобы вас любили и уважали другие.

Совершайте поступки, которые свойственны людям с высокой самооценкой, ломайте рефлекторную дугу. Не идите на компромиссы, держитесь, не соглашайтесь выполнять работу, которую считаете «не своей», не идите на должность, которую считаете недостойной себя. Запаситесь терпением, мужеством и верьте в себя. **Зарплата — это всегда та сумма, на которую вы себя чувствуете.**

Большинство прокрастинаторов — жесткие перфекционисты с высочайшим уровнем тревоги и страха. То есть они даже боятся приступить к чему-либо из страха, что не сделают это до конца или не сделают это блестяще.

Перфекционисты и отличники — это не те, кто делает на отлично все, за что ни возьмутся, а те, кто

даже не берется за дело, если не уверен, что справится с ним на пять. Вот они и откладывают, а в острых случаях вообще ничего не делают…

Когда это мешает карьере и негативно сказывается на судьбе в целом — надо идти к психотерапевту.

Страх перед публичными выступлениями порождается страхом быть непонятым, неуверенностью в том, что тебя оценят, одобрят, услышат. В конечном счете — это страх проигрыша. И с ним-то и надо работать.

А вот бороться ни с чем как раз не надо. Сама постановка задачи — неверна. «Я боюсь, я нервничаю, но я поборю это, я справлюсь, я завоюю аудиторию»… И вот вы уже как будто на войне. Нет! Надо выходить к людям с любовью, с интересом к ним, с желанием поделиться, что называется, с «открытым забралом». Это, кстати, приходит само, когда человек приводит к адеквату свою самооценку, начинает любить себя, «расслабляется по жизни».

Не бывает стопроцентных интровертов и экстравертов. Вопрос в том, чего в вас больше — экстра или интро… От этого процента и зависит, с чем человек больше приспособлен работать: с бумагами, механизмами или людьми. И вот такое деление более функционально. Точно выясните, к какому типу относитесь, и выбирать работу будет легче.

Люди часто себя неправильно понимают и оценивают. Например, испытывают потребность в общении, но из страха быть непонятыми замыкаются и считают себя интровертами (и работают на складе вместо того, чтобы сидеть на ресепшене)…

Если есть внутренняя потребность и ощущение, что вы засиделись на одном месте, — меняйте работу, а если нет, зачем менять? Тут нет никаких рецептов и правил. Но, как известно, есть национальные традиции. В США принято менять работу раз в 5–7 лет и чаще, а в Японии — чем дольше на одном месте работаешь, тем больше почета.

Недавно встретил директора школы, в которой я работал 30 лет назад. Сейчас ему за 90, он в прекрасной форме, 63 года работает в школе, из них 40 лет — в своей нынешней должности. И это одна из самых знаменитых школ Москвы. И как вы понимаете, ему в ней очень даже психологически комфортно…

Безусловно, женщины более эмоциональны. И возможно, это как-то влияет на их продвижение по карьерной лестнице. Но в целом тут я против гендерного деления. Думаю, не существует специально мужских и специально женских качеств, которые помогают или мешают деловому успеху.

Про любовь к себе (новогоднее обращение)

Если ты собираешься в один прекрасный день создать что-то великое, помни: один прекрасный день — это сегодня.

Стивен Спилберг

Дорогие мои невротики!

Сейчас самый подходящий момент, чтобы все себе простить, похвалить себя за то, что дотянули до праздников, расслабиться, начать себя баловать, любить и таким вот образом начать новую жизнь. Новую жизнь, в которой вы делаете только то, что сами выбрали и хотите. Вот сегодня: не хотите идти на ужин к Петровым или в ресторан с тещей — не ходите, это вредно. Проведите праздник, как вам комфортно, с теми, с кем вам по-настоящему хорошо. А там, глядишь, это войдет в привычку, станет судьбой. Праздник, как и жизнь в целом, должен быть в радость!

И даже если весь год вы себя плохо вели, не слушались маму с папой, не ели кашу по утрам — это ничего. Позвольте себе чего душа просит, дайте себе волю, потратьте на себя деньги, не жалейте для себя ничего! Новый год ведь! (Мы же помним, что, если все время откладывать на черный день, — черный день непременно наступит.) И я вас очень прошу: даже просто заподозрив в себе ощущение, что «я не заслуживаю ничего хорошего, потому что… (и далее варианты)», душите его со всей страстью и уверенностью, что заслуживаете всего самого лучшего. Вот прямо как только такая мысль приходит вам в голову — сразу отметайте! Она вернейший признак невроза и нелюбви к себе.

Психологи и их пациенты знают, что в выходные, праздники, а уж тем пуще в длинные праздники обостряются все неврозы, депрессии и такие захватывающие чувства, как одиночество и жалость к себе. Причем обостряются не из-за вас, а по очень объективным внешним причинам. Кто-то сказал, что самое страшное одиночество — это одиночество в толпе.

А ведь нет ничего страшного в том, чтобы провести новогоднюю ночь наедине с собой любимым (любимой). Если у вас есть такой шанс — настоятельно советую воспользоваться и получить удовольствие от общения с собой, наконец-то к себе прислушаться… Нельзя быть неодиноким любой ценой, бежать от одиночества. Оно иногда полезно, целительно и уж точно лучше шумной компании не очень близких вам по духу людей.

И помните, в фильме «Ночи Кабирии», когда героиню обманул и бросил очередной мужчина, в последнем эпизоде она идет и плачет, а ее обтекает карнавальная толпа, кругом красивые, смеющиеся люди, да они еще танцуют и поют! Так вот, **Новый год — это тоже немножко карнавал. И если рабочие недели летят быстро: пришел, посмотрел серию-другую любимого сериала, поел и спать лег, размышлять над содержанием и смыслом жизни особо некогда — то в праздники время на размышления вдруг появляется. А кругом все блестит, салюты бабахают, все куда-то бегут с подарками и елками. Кажется, ну всем весело! Ну, у всех все хорошо… кроме вас. Это неправда. Но у вас действительно все может быть прекрасно, если вы ПЕРЕСТАНЕТЕ СЕБЯ ЖАЛЕТЬ ПРЯМО СЕЙЧАС.**

Перестаньте немедленно и скажите себе: «Это моя жизнь — и она мне нравится!»

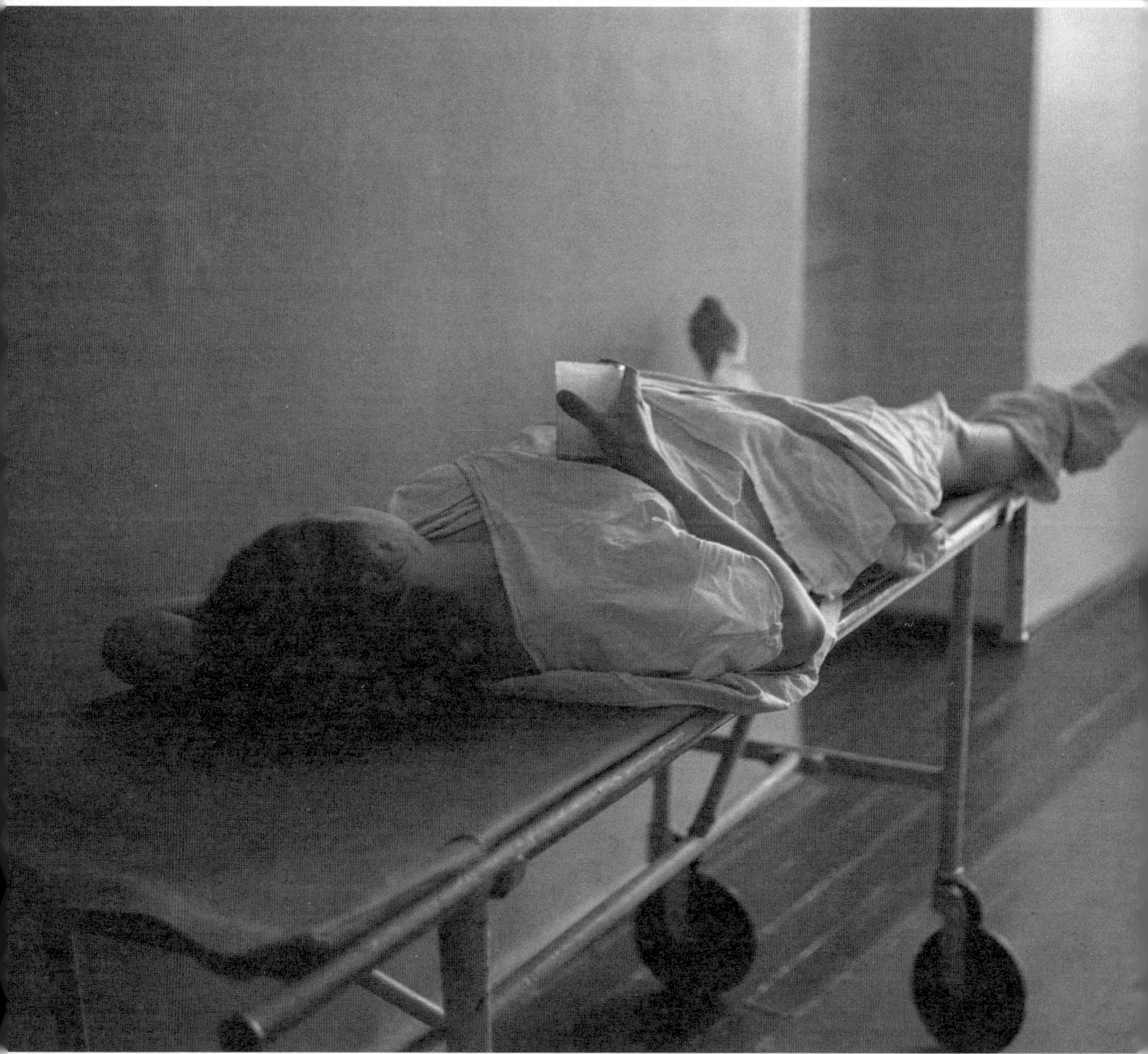

Одиночество –
это не то, что вы
никому не нужны,
ваш телефон молчит,
вас никто не любит,
вы невостребованы...
Одиночество –
это ощущение
внутренней пустоты.
Одиночество –
в первую очередь
о том, что вы не нужны
только одному
человеку:
самому себе –
и поэтому и другим
неинтересны.

И если не нравится, тем более скажите! И начните уже принимать себя и любую свою жизненную ситуацию такой, какая она есть. Это классический первый шаг к позитивным переменам и новым встречам.

Вы ведь уже пытались начать новую жизнь с понедельника, дня рождения или Дня взятия Бастилии — новая жизнь если и начинается, то длится недолго. А с Нового года оно намного вернее.

Желаю вам сделать все, что вы хотели, но откладывали. Жениться, выйти замуж, развестись, похудеть, поправиться, бросить курить, начать пить, сменить прическу, работу, машину, обновить гардероб, освободиться от зависимости, попасть в новую, начать ходить в спортзал или обрадоваться, что абонемент наконец-то закончился… Не так важно, что именно. Просто сделайте что-нибудь, что принесет вам радость и веру в себя.

Вы неинтересны миру до тех пор, пока неинтересны сами себе. Невозможно строить семью или дружбу с тем, у кого с самим собой сложные, противоречивые отношения, полные недовольства и всяческих угрызений.

Никому не нужен тот, кто не нужен сам себе. А тот, кто принимает себя таким, какой он есть, — живет вкусной, полноценной жизнью, несмотря на все возможные житейские проблемы. Только не надо путать любовь к себе с эгоизмом. Эгоист зациклен на своих проблемах, и окружающие его не интересуют, а тот, кто любит себя, добр ко всем и открыт миру. Ведь с самим собой у него все в порядке.

Начинаем тренироваться любить себя просто за то, что «Я ЭТО Я» (а не за какие-то жизненные достижения). Дальнейшие перемены в жизни обязательно последуют вслед за полным принятием себя и пониманием, что вы, безусловно, заслуживаете благополучия, счастья и вообще всего самого лучшего. Кстати, и все вокруг это тоже обязательно поймут.

Про зависимость

Наркоманам, лудоманам и алкоголикам посвящается...

На вопрос, что он больше всего ценит в любви,
Оноре де Бальзак ответил:
«Глоток коньяку до и сигарету после».

Знакомство

Первый раз я закурил в 7 лет в пионерлагере. Сигаретой со мной поделился старший брат, считавшийся опытным курильщиком — на тот момент ему было 12. С первого раза не втянулся, но в школе за малолеток взялись старшеклассники — они угощали, мы закуривали и, понятно, тут же закашливались. Начиналась кропотливая работа по передаче и восприятию опыта. Они нам, например, говорили: «Ну-ка, пацан, вдохни дым и попробуй прочесть стихотворение, не выпуская дыма изо рта».

Стихотворение было простое.

Бабка печку затопила,
А дым не шел.
Дед печку затопил —
Дым пошел.

В те годы о вреде курения задумывались немногие и антиникотиновой пропаганды не было никакой.

Влюбленность

В 12 лет я курил почти постоянно, в 14 — минимум пачку (20 сигарет) в день.

Однажды летней ночью я вышел на кухню покурить в открытое настежь окно. На улице был какой-то шум, и я не слышал, как из туалета вышел отец. Он не стал медлить и сразу же влепил мне затрещину. После чего начал со мной уже вполне миролюбивую, обстоятельную беседу. Главная мысль, которую он пытался донести до меня тогда, была в том, что «обязательно и очень скоро настанет день, когда ты НЕ СМОЖЕШЬ НЕ КУРИТЬ». Мне это казалось нереальным, я хорохорился и говорил, что такого не будет никогда и что я, конечно же, брошу, как только захочу.

Просто пока мне все нравилось, и нравилось сильно!

А отец хорошо знал, о чем говорил: сам он начал курить в 17 лет, попав в 1942 году в снайперское училище. На момент нашего разговора о вреде курения ему было 50, он уже пережил инфаркт, а впоследствии заболел раком.

Постоянные отношения

Я стал прятаться, дома больше не курил, но за его пределами курил постоянно и везде. И однажды в три часа ночи понял, что отец прав: проснувшись, я увидел, что сигарет нет, и уснуть больше не смог. Посреди ночи я пошел к таксистам, а это значит был готов отдать от 3 до 5 рублей за пачку, в то время как в магазине «Ява» стоила 30 копеек. И это была уже чистая наркомания в 16 лет.

В те годы я курил ужасную гадость: папиросы «Казбек», «Дымок», «Герцеговину Флор». А вот моршанская «Прима» считалась лучшей!

Позже в мою жизнь вошли болгарские «БТ», «Родопи», «Стюардесса», которые отличались особенно кислым привкусом. Страшным шиком считалось смолить кубинские «Лигерос» и «Партагас», хотя курить их было невозможно по той простой причине, что в них клали бракованный сигарный лист, а сигарный табак — очень крепкий и им в принципе не затягиваются. Даже опытные курильщики и курильщицы кашляли, но продолжали покупать и стрелять сигареты с Острова свободы.

Про СПИД тогда никто не слышал, так что бычками не гнушались — подбирали, отрывали фильтр и докуривали.

Вспоминается любимый пионерский лагерь ДКБФ «Алые паруса» (Дважды краснознаменного Балтийского флота). Так и вижу: начинается смена, мы заходим в здание первого отряда и, как только вожатые скрываются из виду, привычным движением достаем из чемоданов и рюкзаков пачки папирос (я — сигареты «Бородино») и закидываем их на крышу корпуса, потому что знаем, что скоро будут шмонать, а без курева жизни уже не представляем.

Лирическое отступление про то, что курение было не единственной пагубной зависимостью школьников. Когда я работал воспитателем в лагере Грузового автокомбината №23, то наблюдал следующую драматическую сцену: начинается смена, и в лагерь, сопровождаемые вожатыми (они же — водители автокомбината), входят дети 14–15 лет. Их подводят к пустому котловану (он же бассейн) глубиной от 2 до 5 метров и предлагают немедленно его почистить. Немало подивившись такой срочности, пионеры кидают свои рюкзаки на землю и спускаются в грязный котлован. Вожатые тут же быстро достают лестницы обратно и бросаются к детским рюкзакам.

Под матерные крики со дна бассейна у пионеров в тот день было изъято 120 бутылок водки. Дети поняли, что отдых не задался с самого начала. А вожатые, напротив, воспринимали отъем алкоголя не только как воспитательную акцию, но и как трофей.

Суровые реалии пионерского лета 1982 года.

Брак

Шли годы. Постепенно я стал курить по две пачки, а с 40 до 50 лет — и по три пачки в день. Я не курил, только когда спал, но курил в постели, курил дома и на работе (в школе в том числе). В кино я мог встать и выйти покурить прямо во время сеанса, вернуться и досмотреть фильм. Друзьями я воспринимался как курящее животное, а один художник-стеклодув отлил мой образ в виде стеклянной статуэтки — я там с усами, бородой и, конечно, с сигаретой между пальцев. А что, круто!

Впрочем, не я один был заядлым курильщиком, курили все вокруг, хотя и не так фанатично. Существовали ритуалы (например, девочки не курили на ходу) и стройная, отработанная этика — как стрелять сигаретку. Тот, кто стреляет, ни в коем случае не должен был лезть в пачку своими пальцами, чтоб не задеть другие сигареты, но и тот, чья эта пачка, не мог вытащить сигарету сам. Поэтому курильщики умели так щелкнуть по дну пачки, что сигарета как бы сама выскакивала, причем именно на длину фильтра. А если сигарета у тебя последняя, ты имел законное право никому ее не отдавать. Впрочем, если стреляющий был человек «с понятиями», то последнюю он и просить бы не стал.

За эти годы я не курил два раза. Первый — когда теща подарила мне антиникотиновую жвачку. Я 15 минут жевал, затем выбросил сразу всю упаковку и закурил. Я не боялся даже онкологии, считая, что уж как-нибудь протяну до смерти на обезболивающих. До тех пор, пока однажды знакомый врач не рассказал о таком заболевании, как эмфизема легких, при которой человек захлебывается собственными легкими и никакие обезболивающие тут не работают. А курильщики — первые, кто находится в группе риска по эмфиземе. Я так испугался, что не курил час и 40 минут. Это и был второй раз отказа от курения, начиная с 14 лет. Но по прошествии этого времени я закурил с новой силой, потому что разнервничался из-за нависшей надо мной угрозы мучительной смерти.

Когда я уезжал в Израиль на ПМЖ, брат (который так и курит всю жизнь и не курил только два года в армии) дал мне с собой 10 блоков сигарет «Столичные». Они считались хорошими, дорогими, качественными. И вот, работаю я в поле — в кибуце SASA на Голанах, закуриваю свои «Столичные» и вижу, что местные «крестьяне» подтягиваются на дымок с вопросом: «Что за трава?» Тогда такая реакция стала для меня загадкой. Но позже, когда «Столичные» кончились и я перешел на самые дешевые израильские сигареты «Ноблес», то понял, что единственное, чем НЕ пахли советские сигареты, так это табаком. Они могли отдавать конским навозом, огородным лопухом и дикой полынью, но табаком там и не пахло. Потому-то «Столичные» показались кибуцникам чем угодно, но только не сигаретами.

В Израиле я стал курить скромнее по сугубо экономическим причинам. Но как только стал зарабатывать, первое, что сделал, — перешел на «Парламент».

Не помню себя не курящим. Я никогда не путешествовал, если лететь до места надо было больше четырех часов — максимум времени, которое я мог продержаться без сигарет. Законным делом было покурить до и после полета, после сытного обеда, за чтением, просмотром фильма… Я не представлял, как буду пить кофе, разговаривать, засыпать и просыпаться — не мог и не собирался делать все это без сигарет. Я любил сигареты и любил себя с сигаретой.

Помню, был в Риме ранней весной, там уже нельзя было курить в ресторанах, поэтому официанту приходилось надевать пальто, выносить мой столик на тротуар, я тоже одевался и ел на улице — чтобы курить. Сидел под дождем как полный дебил и видел, как люди в ресторане спокойно едят в тепле и уюте, да еще и под музыку. А мой ресторанный счет всегда начинался с двух евро «за спецобслуживание».

Все это не прошло даром — 10 лет назад у меня обнаружили ишемическую болезнь сердца, последовала операция. Во время операции я курить не мог, зато с полным основанием курил до нее (волнуюсь!) и с особым кайфом — после…

Не бросил, а перестал

Примерно 6 лет назад без видимых причин я вдруг обнаружил, что ничего я не люблю курить. Что у меня элементарная психологическая, психофизическая, эмоциональная, химическая — короче, зависимость. С этого момента каждая сигарета ощущалась мною не как акт любви, а как вынужденная уступка своей зависимости. Стало противно.

Примерно через месяц курить я перестал. Не бросил, а перестал. В чем разница: когда перестаешь — ты делаешь это сразу и тебе не снятся сигареты, ты не снижаешь их количество постепенно, не находишься в нервном напряжении и не просишь семью и друзей поддержать тебя в суровой борьбе. Просто перестаешь. И я перестал после 37 лет курения, интенсивность которого уже описал. С тех пор 6 лет не курю, не хочу и не раздражаюсь, когда рядом курят другие.

Дорогие наркоманы! Пока вы будете думать, что ваша история про любовь, — вы не бросите курить, а курить не бросит вас. Пока курение чуть ли не единственный способ самоутвердиться, самовыразиться и почувствовать себя свободным — невротический роман с сигаретой будет длиться и убивать.

Еще раз. **Одна из причин, по которой я курил сколько себя помню, — курить я любил. Так мне казалось. Довольно долго. А человек никогда не откажется от того, что любит.**

Это как в любой зависимости — до поры до времени ты уверен, что это любовь. Ситуация меняется ровно в момент, когда осознаешь, что просто зависим, болен и слаб.

Любовь — это когда радость и удовольствие, зависимость — страхи, нервы и боль. Когда вы это поймете — вас отпустит. Меня отпустило.

Про желания

Хочешь всего и сразу, а получаешь ничего и постепенно.

Михаил Жванецкий

И снова о том, как распознать свои истинные желания. Тема оказалась одной из самых дискутируемых наряду с лекциями про такие вечные ценности, как ДЕТИ, ЗАМУЖ и САМООЦЕНКА. Так сложилось исторически, что люди в России на физиологическом (не говоря уже о психологическом) уровне не в состоянии сделать свой свободный жизненный выбор и следовать ему без угрызений совести и попреков родни.

Ну, и как следствие, первое из моих «Шести правил» — «Делать только то, что хочется» — вызывает много вопросов, сомнений и даже возмущения. Ежедневно я сталкиваюсь с непониманием и сопротивлением по этому пункту. Я слышу, что жить как хочешь — невозможно, опасно и вредно, эгоистично и противоречит сразу всем правилам мирного сосуществования. Что в корне неверно.

Все мы знаем таких людей: посадишь — сидят, поставишь — стоят, положишь — лежат. Их много, их большинство, особенно среди тех, кому за 40. Они не слышат своих желаний или вовсе их не имеют. Желания у них или подавлены, или замаскированы. И они будто и не живут, а только решают проблемы одну за другой. Год за годом. Если проблемы вдруг заканчиваются, они начинают их выдумывать — с проблемами комфортнее и понятнее.

Главное чувство в их жизни — чувство долга. Главное слово — слово «надо». Главный страх — как бы чего не вышло.

А лица такие, будто все время в покер играют.

Установка, данная им родителями, состоит в том, что если жить как хочется, то за это обязательно придется платить. (У родителей были на то свои исторические, социальные, наследственные причины, винить их не надо, но сейчас не об этом.) В результате уже на стадии едва намечающегося счастья человек начинает бояться, что скоро все закончится, а дальше станет хуже, чем было.

Поэтому, когда надо выбирать, они выбирают нечто безопасное, нейтральное, никакое. Институт, где меньше конкурс и близко от дома, работу, где не будут много требовать, женятся не на той девочке, в которую страстно влюблены, а на той, которая гарантированно не уйдет к другому. (Выходят не за любимого, а за надежного.) И ведут скучную, однообразную жизнь, отрабатывая сценарии — социальный, родительский. Учатся, работают, растят детей, ходят летом в походы, зимой — в театр. Не потому, что им этого хочется, а потому, что, с их точки зрения, так и должна выглядеть «нормальная» жизнь.

Одним из медицинских последствий отсутствия желаний является астенический синдром, упадок сил, потеря тонуса. А крайним его выражением — депрессия: когда человек либо вообще ничего не хочет, либо хочет только лечь и умереть (при суицидальной депрессии). И ведь некоторые проводят в этом состоянии бо́льшую часть жизни. Они ежедневно что-то преодолевают, с чем-то борются и считают, что это единственный способ преодолеть земную юдоль.

Люди в большинстве своем совершенно не получают удовольствия от жизни, и это, я считаю, большая трагедия. Целая страна, миллионы людей живут, не подозревая, что бывает по-другому: без драм, насилия над собой, без тотального чувства вины и стыда.

У большинства внутреннее «надо» настолько довлеет над всем остальным: над «хочу, «мечтаю», «могу», — что когда они делают то, что хотят, то чувствуют себя хуже, чем когда делают что должно. Это жесткие невротики, которые живут с огромной тревогой в душе. У них подавлены не только желания, но и любые эмоции.

А причина всего этого — холодные, нечуткие родители, которые игнорировали, не уважали, не придавали никакого значения желаниям ребенка. Отсюда же, из семьи, традиционная для россиян готовность подчиняться, унижаться, смиряться, терпеть лишения. Как и уверенность, что их настоящее мнение ничего не значит и никого не интересует. Для нас в этом нет ничего нового, ведь в детстве мы все это проходили. Как и наши родители…

Мы — общество несвободных людей, для которых несчастье и общая подавленность — норма жизни. В России ведь даже боятся, когда хорошо. Есть такая общенациональная идея, что «за хорошо» придется платить. А тревога по поводу того, что платить придется уже скоро, — это общенациональная эмоция. Все так и хотят заморочиться прямо во время оргазма! Так давайте разорвем этот порочный круг, прервем цепочку нелюбви и несвободы, начинающуюся прямо в утробе матери. Никогда не поздно это сделать. И давно пора.

Как бы ни было, если у вас тоже проблемы с желаниями, попробуйте их тренировать. Начните с малого. Садясь за стол, не начинайте есть, пока не решите, чего именно вам хочется, для начала в мелочах. Посвятите этому время, подумайте над тем, какой у вас любимый цвет, любимый фильм, книга… Мини или макси? Чай или кофе? Всмятку или в мешочек? Помните, что желания никак не связаны с рацио, логикой, «правильным выбором». Этот выбор не может быть неправильным.

Заново учитесь слушать и слышать себя, вместо того чтобы идти на поводу у чужих желаний. Развивайте свои способности и таланты, реализуйте свои маленькие задумки, мечты, цели. Не бойтесь быть плохими в глазах «коллектива» — это же ваша жизнь! Окружающим по большому счету на вас наплевать — у них своя есть…

Все мы завидуем людям, которые заходят в магазин, берут с вешалки вещь и сразу идут к кассе. И тут же у кассы переодеваются в новое. Мы восхищаемся ими и хотим от них детей. Ибо эта уверенность и определенность касается и всего остального в их жизни: профессии, места работы, места жительства, выбора партнера и марки автомобиля…

Как они такими выросли? Просто им с детства давали право голоса и право выбора, они с малых лет знали, что их желания значимы для других и для мира, что их желания адекватны и выполнимы, что их желания обычно материализуются! Поступайте так по отношению к своим детям, доверяйте им, и у них появится шанс…

Другая проблема, когда желаний слишком много и вы никак не можете остановиться ни на одном из них. Бороться с амбивалентностью можно, только задавшись целью доводить каждое свое желания (до абсурда) до его полной реализации. Решили — держитесь. Собрались с подругой в кино в восемь вечера, но вам позвонили и пригласили выпить? Нет, вы уже идете в кино и никакие «вновь открывшиеся обстоятельства» не могут служить причиной изменения в планах.

Если будете держаться этой стратегии достаточно долго, отвыкнете метаться, начнете принимать решения более взвешенно и придерживаться их не составит для вас труда. Результат зависит от того, насколько вы пострадали от собственной «внезапности и противоречивости», насколько вас достали метания и куча вещей в шкафу, которые вы купили по необъяснимой причине и так ни разу и не надели…

Можно ходить на лекции, читать умные книжки и статьи в Facebook, но есть вещи, которые просто надо начать делать. В данном случае — надо конкретно ДЕЛАТЬ ТО, ЧТО ХОЧЕТСЯ, и пусть будет, что будет.

. . .

— Я очень активная, у меня много желаний, много любимых занятий, меня бросает из стороны в сторону. Сейчас я хочу стать актрисой, а что будет завтра, я не знаю.

— Судя по всему, проблема у вас не в разнонаправленности желаний, а в нестабильности психики. Сейчас вас разрывает, но когда-нибудь вы угомонитесь. Пробуйте себя, что-то обязательно окажется «вашим».

— А с мужчинами как определяться?

— Да не надо определяться, если не можете. Пробуйте, перебирайте…

Про бездействие

*Ну а здесь, знаешь ли, приходится бежать со всех ног,
чтобы только остаться на том же месте, а чтобы
попасть в другое место, нужно бежать вдвое быстрее.*

Льюис Кэрролл. Алиса в Зазеркалье

У меня был профессор в университете, который про свою аспирантку (психотип «отличница») сказал:

— Я ее боюсь, она такая неленивая! Покоя не дает ни себе, ни мне.

Есть люди, которые даже после работы, и в выходные, и в отпуске, в общем, всегда находятся в некоем подвижном состоянии. От них в глазах рябит. Не умеют они, например, просто валяться на пляже, наблюдать за горизонтом… Нет, они нанимают катер, чтобы в шесть утра подальше от берега ловить специальную глубоководную рыбу и потом жарить ее на кухне гостиницы к ужасу шеф-повара. А в обед они уже едут осматривать какой-нибудь замок, или холм, или могилу знаменитого поэта. Вечером — дискотека. А как же? Мы что, зря приехали, что ли? «Время надо проводить с пользой» — их девиз. При этом непонятно, в чем измеряется польза.

Сказать, что они получают удовольствие от своей бешеной активности? Чаще всего НЕТ. Просто они не могут остановиться и считают это большим достоинством. Мол, уж такой я человек, всё в делах, всё в делах!

При этом такие люди еще и не дают покоя никому вокруг. Особенно достается детям (необязательно их собственным).

— А ну марш с дивана, чего разлегся?

— Уже все сделал? Уроки письменные? А устные?

— И портфель собрал (или что там у тебя вместо портфеля?)?

— В комнате приберись тогда! Носки валяются…

— Может, хоть книжку какую почитаешь?

— Тогда пойди погуляй на свежем воздухе!

Ребенок смотрит с испугом и иногда действительно идет заниматься чем-то, с точки зрения взрослого, полезным. Потом снова пытается лечь. И тут вроде как можно оставить его в покое, но нет. Сторонники деятельного отношения к жизни не выносят, когда дети «ничего не делают». И снова, и снова куда-то их гонят, или ведут, или начинают рассказывать про печальные судьбы бездельников и дворников.

Думаете, таким образом они приучают ребенка к труду? И он слушает упреки и внезапно понимает: «Действительно, что это я разлегся и как мне не стыдно?»

Нет, он думает — «Как меня все это задолбало!»

Но тут надо понимать, что **люди ведут себя подобным образом не потому, что такие вредные уродились, а потому, что их так же гоняли собственные родители, а когда родители их родителей были детьми, старшие говорили чего и похуже**. Например:

— Ишь, каникулы у него! Вот у нас никогда не было свободного времени! Мы работали с 11 лет. На заре вставали курям корм задать, потом в коровник и в поле… Вот и выросли крепкими, работящими…

А еще задавали риторические вопросы:

— Как это, чтоб у человека дел не было?

— Или ты думаешь, кто-то за тебя будет в жизни что-то делать?

Немудрено, и так сложилось исторически, что постоянная судорожная активность считается нормой, хорошим знаком и всячески одобряется социумом.

Но жизнь изменилась, перестроилась. И сейчас дело не в том, что наши предки, предки наших предков и предки их предков работали не покладая рук ради пропитания и нам нельзя отставать. Проблема в том, что во многих из нас присутствует ТРЕВОГА. Большая и зачастую необъяснимая.

Люди суетятся без видимой необходимости и результатов только для того, чтобы эту тревогу заглушить. Им кажется, что, если они остановятся, что-то случится, что-то будет упущено, катастрофа и конец света. На самом деле, конечно, ничего подобного, и головой они это понимают, но голова тут ничем помочь не может.

Не справляясь с беспокойствами самого разного толка и не умея оставаться с ними один на один, «тревожные» стремятся придать смысл абсолютно любому своему действию. И если что делают, то только — с целью.

Гулять, просто гулять, прогуливаться ради удовольствия — никогда, разве что по магазинам или мусор выбросить, хлеб купить или пожить культурной жизнью — сходить в кино или в театр. И снова вопрос: а достигая своих целей, мелких и крупных, получают они удовольствие? И снова — нет. Тревога так просто не отпускает, им надо бежать дальше. И убегание как раз и есть симптом и следствие неспособности получить удовольствие от жизни. О том, что само удовольствие может быть целью, тревожные люди обычно и слышать не хотят.

Люди, позвольте же себе полениться! Это не стыдно, не вредно, и никто не будет вас ругать за несделанное домашнее задание, вы же взрослые. Отвыкайте от жизни в старомодном стиле «хватай мешки, вокзал отходит». Хвалите себя не за ударный труд, а за гармонию с собой.

И пожалуйста, дайте ребенку эти два часа в день, про которые я говорю на каждой лекции «про детей». Для нормального развития психики и мозга у ребенка должно быть свободное время, совсем свободное. Обязательно.

Как психолог еще раз повторю: выигрывает не тот, кто все время тревожится и суетится, а тот, кто спокоен, уверен в себе и умеет концентрироваться в нужный момент.

Учитесь просто сидеть, лежать и ни о чем не тревожиться, не думать, не страдать, не планировать, не вести бесконечные диалоги и монологи с обидчиками, не смотреть телевизор или сериал в компе, не листать журнал. Для достижения многих вещей в этой жизни сначала требуется ничегонеделание. Войти в состояние ничегонеделания, поймать его и длить, длить… Если не можете справиться с тревогой сами, обращайтесь за помощью к специалистам — психологу, психотерапевту, психиатру. Жизнь того стоит.

Поймите, ваша фамилия не Стаханов и вам не надо укладывать пятилетку в три года. Вам бы просто жить — и жить по возможности с наслаждением.

— Любовь не надо заслуживать. Да и невозможно заслужить. Нас любят: а) все — за то, что мы сами себя любим; б) представители противоположного пола — за то, что мы напоминаем им родителя противоположного пола (мужчинам — маму, женщинам — папу).

Других вариантов не существует.

— Начинаем тренироваться любить себя просто за то, что «Я ЭТО Я», а не за какие-то жизненные достижения. Дальнейшие перемены в жизни обязательно последуют вслед за полным принятием себя и пониманием, что вы, безусловно, заслуживаете благополучия, счастья и вообще всего самого лучшего. Кстати, и все вокруг это тоже обязательно поймут.

— Самодостаточность — тоже счастье, только без людей.

— Признак душевного здоровья — это когда то, что вы думаете, и то, что вы чувствуете, — совпадает.

— При здоровой психике человеку нужно столько денег, сколько он может проесть.

— Невроз по поводу денег напрямую связан со страхом перед жизнью во всех ее проявлениях: перед отношениями, перед людьми, перед неизвестностью…

— Откладывая деньги, вы отнимаете их у себя и своей сегодняшней полноценной жизни. Вы обслуживаете свои страхи и укрепляете в себе психологию нищего человека.

— На деньгах нельзя зацикливаться, нельзя связывать с ними все свои надежды. Довольно типичный путь в жизненный тупик — жить и думать, что сейчас это у вас только репетиция жизни. А, мол, завтра вы переселитесь в другую квартиру, пересядете в шикарную машину и уж тогда заживете по-настоящему!

Надо жить сегодняшним днем. Если вы вечно недовольны тем, что имеете, и у вас нет полноценного СЕГОДНЯ, то откуда возьмется полноценное завтра?

— В дикой природе выживают только те животные, которые могут себя прокормить. Если вы этого не можете, значит, у вас есть какая-то психологическая проблема. И над ней надо работать (а не искать мужа/жену побогаче). Психически здоровый человек всегда найдет себе применение и «пищу».

— Есть люди, которые не живут, а решают проблемы. Они плохо себя чувствуют, если проблем нет. И наоборот, если проблема есть и ее надо решать — им комфортно. Такая полная неспособность расслабиться.

— Если человек не извиняется в ситуации, когда он действительно виноват, он обречен жить с чувством вины. Признать свою ошибку, попросить прощения правильно не только с точки зрения норм общения, но и с психологической точки зрения.

— Зависимость — это неспособность противостоять соблазнам. И главная причина низкой самооценки, а также того, что человек впадает в зависимость, — отсутствие поддержки и любви со стороны родителей в детстве. Став взрослыми, но не самодостаточными личностями, они то и дело возвращаются в детское невротическое состояние.

— Чувство вины — верный признак низкой самооценки. Себя, конечно же, надо любить и с собой надо договариваться. Знаете, Папа Римский Бенедикт XVI служил в гитлерюгенде. И ничего — не смущался, что к нему обращаются «Ваше Святейшество». Как-то договорился с собой. «Я был молод, у меня не было другого выхода», например. Как Мэрилин Монро говорила: «Я была молода, мне нужны были деньги»…

— Существует статистика, говорящая о том, что в ДТП попадают одни и те же люди. Потому, что в критической ситуации они всегда ведут себя определенным образом — они ведут себя неуверенно, как ЖЕРТВЫ! Они жертвы заранее. Так не будьте жертвами ни в каких ситуациях.

— Кризис среднего возраста наступает не только, когда нет денег и все плохо. Кризис наступает из-за разницы между тем, чего вы ждали от жизни, и тем, что получили от нее.

ОТНО

ения

Про отношения

Мужчина не способен бросить женщину, которая без него — может. На такую можно орать, ее хочется придушить, обозвать бессовестной Дездемоной, но бросить нельзя.

Слава Сэ

«Что со мной не так? Почему в отношениях у меня полный ужас или полное зеро? Столько раз завязывалось, появлялась уверенность — вот оно! Встречи, звонки, сближение, секс и… все по убывающей: охлаждение, раздражение, ссоры, расставание. Раз за разом. Что делать?» Если схематично, то вот о чем спрашивают психолога чаще всего. И в качестве «бонуса» — дети, побои и раздел имущества. Но суть вопроса одна — почему отношения неизменно заканчиваются, оставляя нехорошее послевкусие?

Посмотрим, что происходит, опять-таки схематично — детали каждый может довообразить из своего опыта.

Акт первый. Начало отношений

Обычно этот идиллический период сопровождается влюбленностью и некоей эйфорией. Длится все это месяца три и характеризуется полным отсутствием критического мышления по отношению к «объекту». Влюбленный видит перед собой не реального партнера, а его идеальный образ. То есть любые проявления и поступки, которые раньше вы бы вообще не заметили или, может, заметили бы и поморщились, тут кажутся чудесным попаданием в то, что вам нужно. «О, как много она может выпить и даже не опьянеть», «О, как бесстрашно он сморкается на людях!».

Или, например, агрессия, неспокойные реакции, взвинченность. Допустим, ваше новое увлечение конфликтует с официантом в кафе, ругается по телефону с собственной матерью, время от времени делает замечания вам и часто спрашивает: «Ты куда?» Обычно все это вас настораживает. А тут вдруг накрывает догадка: «Так вот он какой — настоящий мужик!» Просто мачо. И фантазию уже не остановить, она рисует батальные сцены и шепчет: «Такой за меня пасть порвет!» В реальности он ее и правда порвет, только не за вас, а вам. За то, что борщ холодный, а котлета пригорела.

Или, например, вы — парень, а ваша девушка пятый раз опаздывает на свидание. Причем опаздывает часа на два. А когда вы вдвоем сидите на диванчике, она может подорваться, выйти в другую комнату и час говорить там по телефону. И в дополнение к образу — на людях ведет себя вызывающе, красится ярко, а душится так, что у вас глаза слезятся.

И вот с момента, когда она начинает с кем-то переписываться, пряча телефон под стол, ваша влюбленность достигает апогея. Сочетание цвета ее помады, теней, румян и запаха парфюма с удушающими нотками жасмина посылает вам только один сигнал — принцесса! Нет, королевна!

Через три месяца вы начинаете спрашивать себя — чем это она так занята, что не может не опоздать? Подозреваете, что вы у нее не один, замечаете, что с косметикой она перебарщивает, да еще и постоянно говорит «ложит» и «зво́нит»...

Или, как вариант, в вас скопился избыточный ресурс энергии, нежности, любви и терпения к людям. У вас давно не было отношений, и вы счастливы уже от того, что отношения хотя бы просто есть. И когда они становятся не очень приятными (партнер грубо отвечает, плохо отзывается о ваших друзьях или родственниках, принуждает к тому, чего вам категорически не хочется делать, неприятно шокирует, игнорирует ваши просьбы...) — вы стараетесь этого не замечать.

Акт второй. Первые трудности

Некоторым, когда что-то в партнере их не устраивает, приходит в голову странная материнская идея — «мы это подправим», «над этим надо немного поработать», «в моих заботливых руках парня будет не узнать». Хотя они не мамы своим парням. Особенно смешно, когда в подобном уверены невесты алкоголиков. «Со мной он пить не будет» — не сомневаются они. И вскоре сами начинают бухать.

Спасатели и воспитатели встречаются и среди мужчин. И это тоже история не про счастье в отношениях.

Или начались проблемы в постели, а это серьезный симптом. Хотя все, кто приходит к психологу по поводу отношений, говорят, что секс — это не главное. В общем, представили, да? Пошли первые конфликты, первые секс-примирения, попытки манипулировать, желание настоять на своем…

И какие же мысли лезут вам в голову в этот период? А например, такие: «отношения — это работа», «чего в жизни не бывает?», «люди притираются друг к другу», «все мы живые люди», «жизнь состоит из компромиссов» и прочий бред. Узнаете себя?

Но вот проходит еще какое-то время, и вы вдруг ощущаете, что все достало, что вы живете не своей жизнью, все происходит не так, как вы хотите. Вы наконец замечаете, что только тем и занимаетесь, что пытаетесь приспособиться к партнеру и избежать острых углов при взаимодействии с ним. А тем временем вас плотно накрывает недовольство собой, жизнью, семьей и своей ролью в отношениях.

Помните, как сказала Валерия Новодворская? «Компромиссы вас догонят».

Акт третий. Конфликты

Ситуация в любых отношениях сильно усугубляется тем, что многие сначала держат эмоции в себе, долго накапливают недовольство, чтобы потом громко взорваться. И не представляют, как можно жить по-другому.

А взрыв обязательно происходит, и тут начинается: вываливание всех претензий оптом, припоминание, что месяц назад произошло то, что вам «сразу не понравилось», злопамятные детали, душераздирающие подробности, личные оскорбления.

После чего потоком идут уже совершенно другие эмоции и другие мысли: «мы чужие люди» и «где были мои глаза» или «мне не о чем с ней разговаривать», «ужас, что у нее в голове: мех, каблуки и пуговицы». Появляется чувство одиночества, ощущение, что в мире нет ни одного близкого вам человека.

Еще одна типичная ситуация — это когда жена узнает (не то чтобы случайно), что она у мужа не одна и «нас у него даже не двое». Ее реакция: «Я ему верила как себе», «Это предательство, которое я простить не могу».

Но когда начинаешь разговаривать с такой обманутой женой как с пациентом, быстро выясняется, что измене предшествовали семейные ссоры, взаимное непонимание, недельные бойкоты. Что занятия сексом происходили на фоне ее чувства обиды и унижения и не чаще чем два раза в месяц, никакого тепла и душевности в общении, «о прелюдии забыла после медового месяца», «а что носки не снимает — вам поржать, а мне нюхать», «от супружеских обязанностей давно пытаюсь откосить, и голова — не единственный орган, который служит оправданием отказа» и т. д.

С точки зрения психолога, в такой обстановке измена закономерна. А жена говорит: «Я все понимаю, но такое предательство!»

Или муж, который привык публично унижать свою жену, оказывается в шоке от известия, что она уже три года спит с его лучшим другом. Хотя удивляться тут нечему. В отличие от мужчины, который в кризисе просто ищет, с кем бы утешиться, женщина своей изменой говорит: «Ты меня обидел, а это моя месть».

Как бы ни было, люди, которые еще недавно души друг в друге не чаяли, перезванивались по пять раз в день, целовались чаще, чем разговаривали, становятся чужими — это еще в лучшем случае. А в худшем — превращаются во врагов.

Предпоследний акт. Страх расставания

Можно, конечно, вспомнить, что от любви до ненависти один шаг. **Но я уверен, что в основе истории, когда вот вы только что друг друга любили, а потом — бац! — и все кончилось, ЛЕЖИТ СТРАХ.**

Ведь не бывает, чтобы отношения испортились резко, в один момент. Не бы-ва-ет. Этому всегда предшествуют мелкие намеки и стычки, большие проколы и конфликты. А непонимание, недоумение и многое другое идут по нарастающей.

И если бы не вечный страх осложнений, страх, что отношения закончатся, всего этого могло бы не произойти. Потому что, почувствовав недовольство впервые, вы бы просто сказали человеку: «Мне это не нравится». И предупредили, что, если это повторится еще раз, отношения закончены.

Если это говорится в момент, когда вы друг друга любите, — есть большой шанс, что вы друг к другу прислушаетесь. И именно из любви и желания сделать приятное (и не делать неприятного) вы сами и ваш партнер что-то поменяете в своем поведении.

Говорить «мне это не нравится» лучше только один раз. Если ничего не меняется — действительно выходить из отношений с уверенностью, что это (был) не ваш мужчина или не ваша женщина.

А если меняется — жить дальше счастливо.

Я уже говорил много раз, что у пары есть шанс только в том случае, если муж опускает за собой сиденье унитаза просто потому, что жена его попросила, а он ее очень любит и не хочет огорчать. А не потому, что он, сцепив зубы, решил продержаться в браке и элементарно боится скандалов в доме. Или если женщина слушает, как мужчина чавкает, ненавидит это, но терпит, потому что без мужика оставаться ей как-то перед подругами неудобно. И перед соседями. И перед мамой, конечно. Нездоровая это мотивация. Все заканчивается неизбежно и плохо.

Еще раз: здоровое поведение уверенных в себе людей — это прямолинейно и открыто говорить о том, что нравится и что не нравится в поведении партнера.

Жить в состоянии конфликта, равнодушия или даже взаимной ненависти ради поддержания видимости «полной семьи» — это ошибка, ловушка, где страдают и супруги, и больше всех — сами дети, РАДИ которых вроде все и затевалось.

Спрашиваешь, например, на приеме: «Вы практикуете оральный секс?» И слышишь ответ как из классического анекдота: «Чтоб она этими губами потом моих детей целовала?» Это тяжелый инфантилизм.

Акт последний. Расставание

Когда вы боитесь расставания и только и делаете, что пытаетесь его избежать, замалчиваете проблемы, заталкиваете себе в глотку замечания и просьбы и рассуждаете по принципу «лишь бы не было войны» — это все сильно заметно. И как ни парадоксально, в результате именно это и становится причиной разрыва. Ваш партнер считывает ваш страх и любит вас меньше.

Вы демонстрируете поведение жертвы, ведете себя как кролик, который замер на задних лапках перед пастью удава. Ваш страх неизбежно провоцирует партнера на пренебрежение и, возможно, агрессию. Это заложено в человеке на уровне инстинкта. Знаете, как с собакой — пока вы ее боитесь, она вас не уважает. А какая любовь, отношения, семья без уважения?

Влюбляются в личность, любят индивидуальность, уважают за уверенность и независимость. И если в человеке, который рядом, все это перестает проявляться — на чем будут держаться отношения? На привычке? Как долго?

ИНСТРУКЦИЯ
«Как найти и не потерять своего человека»

- Влюбляйтесь на здоровье. Рациональные доводы и критическое мышление на этапе влюбленности не работают.
- Когда с глаз спадет пелена, просто перестаньте бояться «все испортить». Оставайтесь собой.
- Говорите, что вам не нравится.
- Не бойтесь расставаться, если вы сказали, а вас не услышали.
- Не бойтесь остаться в одиночестве. Не бойтесь, что такой любви больше не случится. Если будете личностью — свободной и независимой, — еще обретете своего человека. А будете трусить — потеряете того, кого уже встретили и полюбили.

И оговорка специально для тех, кто остается в браке исключительно «ради детей». Если ваш партнер по браку — хороший родитель, он останется таковым и после развода. Ваши с ним отношения никак не касаются его отношений с детьми — они останутся хорошими в любом случае.

А если родительские чувства зависят от того, в браке ли он со вторым родителем и мелькают ли дети перед глазами с утра до вечера, то тем более держаться за такого не стоит. Жить в состоянии конфликта, равнодушия или даже взаимной ненависти ради поддержания видимости «полной семьи» — это ошибка, ловушка, где страдают и супруги, и больше всех — сами дети, РАДИ которых вроде все и затевалось.

Про невротические отношения

Не надо есть в ресторане под названием «Как у мамы» и ложиться в постель с женщиной, у которой проблем больше, чем у тебя.

Кристофер Баркли

Недавно на одной из лекций к микрофону подошла женщина лет 60 и рассказала историю, как она 27 лет жила в браке и все 27 муж ее третировал, унижал, оскорблял, а в хорошие дни просто вел себя по-хамски. «Я долго слушала ваши передачи, — сказала женщина, — в конце концов, поняла, что так жить нельзя, и развелась. Теперь я не невротик?»

Мне, конечно, было бы приятно стукнуть себя кулаком в грудь, типа «какой я молодец». Но я задал ей несколько вопросов, и выяснилось, что дело не в моих волшебных советах. Просто муж состарился. «Из него уже песок сыпется, а он все что-то пыжится, пытается дерзить, а вас это больше НЕ ЦЕПЛЯЕТ, — разочаровал я свою верную слушательницу. — Вы развелись потому, что он для вас больше не мужик».

А невротиком, она, конечно, осталась.

Или показательный случай, когда ко мне на консультацию пришла женщина с поломанной рукой — муж сломал по пьянке. Он оказался третьим по счету супругом этой дамы. Первый, любитель выпить, устроил ей перелом основания черепа чуть ли не на свадьбе, второй тоже жестоко бухал. И как все, кто замужем за алкоголиками, она спрашивала, что делать, «ведь человек-то хороший, а когда трезвый — такой добрый и так всех любит!».

Алкоголизм и рукоприкладство — это яркие пороки, на примере которых я хотел продемонстрировать, что, выбирая партнера, люди нездоровые руководствуются исключительно тем, что нашептывают им их комплексы, страхи, их исковерканная психика. Коверкают психику обычно в детстве, а на межполовых отношениях особенно сильно отражаются проблемы в отношениях с родителем противоположного пола.

В этом смысле меня **всегда умиляет, когда родители и подруги кричат, например, девушке: «Да как ты можешь с ним спать? Он же животное! Посмотри, как он себя ведет!» Приводят разные сильные аргументы, апеллируя при этом к мозгу. Но ведь у мозга два полушария — левое отвечает за логику и рациональное поведение, правое — за эмоции. А все аргументы упорно долбят в рациональное. В то время как партнера мы выбираем чисто интуитивно и с помощью чувств. И эти диалоги неизбежно заходят в тупик либо крутятся по замкнутому кругу: «Он плохой!» — «А он мне нравится!»**

И, повторяю, выбирать в мужья алкоголиков — это самое заметное, но не самое распространенное явление. Гораздо чаще тихие невротики выбирают себе таких же невротиков — манипуляторов, обиженных и обижающихся, внезапно соскакивающих, не перезванивающих, не желающих жениться и брать на себя ответственность…

И виноваты в этом странном выборе плохие отцы. А так как плохих отцов у нас в стране гораздо больше, чем хотя бы просто нормальных, то и девочек-невротичек — большинство.

Рассказываю, как это работает и почему хорошие девочки западают на плохих парней. Да потому, что, когда девочки были маленькими, их папы никогда не говорили им «ты моя самая красивая» и «ты моя принцесса», забывали, когда у дочки день рождения, не забирали вовремя из детского сада, приходили домой поздно и в мрачном настроении, а после развода вообще переставали звонить.

Девочки любили своих пап и скучали по ним так сильно, что даже плакали, сильно зависели от их настроения и желания, а чаще от нежелания общаться. И все чего-то ждали, ждали… А теперь, когда пришло время встречаться с молодыми людьми, если юноша внимателен, нежен, заботлив, несет ее сумку и подает руку, когда она выходит из машины, то девочка в принципе не способна воспринимать его как мужчину. Он в ее глазах — тряпка, размазня и потенциальный подкаблучник. А такой мужчина (вернее, каким она себе его видит) ее совершенно не возбуждает. Но если парень даже не придерживает для нее дверь в метро и эта дверь ка-а-ак стукнет ее по голове — вот это да! Вот это мужик! Вот это здравствуй, папа!

Самая главная проверка: если после первого или второго свидания, возможно, после секса, парень/девушка не звонит, «пропадает», то здоровая, НЕ невротическая реакция — сразу же потерять интерес к этим отношениям. Но нет! Для невротика это начало большой любви. Потому что в детстве он так же недоумевал, куда все делись, и так же бегал за родителями, пытаясь привлечь их внимание. В результате в его психике любовь покоится на чувстве обиды, унижения и жалости к себе. И тот, кто все эти чувства вызывает, вызывает к себе интерес, сексуальное влечение, чувства.

Теперешний парень часто ведет себя в точности как папа.

Сейчас парень игнорирует, демонстрирует незаинтересованность? А что было в детстве: «Папа не звонит — у него есть другие дела»; «Папа сердится — это потому, что я плохо себя веду»; «Я не заслужила хорошего отношения и подарков».

Парень жадный? А что часто повторял папа? «Я вас всех содержу, вкалываю с утра до ночи, не могу даже нормальный ужин вечером получить, зато вы все опять ненужного хлама понакупили…»

Парень не хочет брать на себя ответственность? Жениться, заботиться, защищать? А как вел себя папа, когда девочка приходила к нему со своими проблемами? А он обычно говорил: «Не морочь мне голову — иди сама разбирайся» и т. д.

Влияет, конечно, и отношение папы к маме. Ребенок все видит, наблюдает, бессознательно воспринимает отношения родителей как образец, и это формирует его собственные отношения с противоположным полом.

Девушки со «сбитым прицелом» часто выбирают так называемых брутальных или даже агрессивных парней, у которых она не то что не на первом, но даже и не на третьем месте. «А я люблю военных, красивых, здоровенных» именно про это. Еще эти девушки очень изобретательны и сами находят оправдания пренебрежительному отношению к себе. Причем в себе же их и находят. Очень удобно. Она звонит своему и тараторит в трубку: «Я знаю, это все потому, что я тогда неправильно себя повела и не то сказала…» Для нее это с детства привычно — считать себя виноватой.

В то же время хороших ребят, настроенных на семью, уважающих женщин, умеющих ухаживать и любить, такие девушки просто не замечают. Зато после очередного фиаско в отношениях или браке начинают запевать старую песню про «все мужики козлы» и бурно обсуждать это дело с подругами.

Конечно, если партнер перегнет палку, то невротик может и вырваться из нездоровых отношений, но уже скоро будет искать себе нового палача. При расставании он ведет себя как наркоман, которому перестали подвозить новые дозы. Ему-то надо на кого-то обижаться, надо испытывать эмоции — унижение, тревогу, жалость к себе — снова и снова! А когда под рукой больше нет «плохого» партнера, размещать обиду приходится в себе, что разрушает психику и вызывает депрессию. Впрочем, у невротиков, которые играют в садомазо, бывает, что палач и жертва меняются местами. Как в фильме «Горькая луна».

Заметьте, потребность в отношениях у невротика гораздо больше, чем у здорового человека. Все опять-таки потому, что у маленького ребенка нет никого, кроме родителей, и вся его жизнь и все его эмоции зависят только от этих двух людей. И если отношения в семье были плохие, то жизнь шла наперекосяк. Так оно и тянется… У здорового не бывает, что, если отношения заканчиваются, вся жизнь прямо полностью теряет смысл. Находятся и другие дела. Отношения занимают свое место в его иерархии ценностей, но не обязательно первое.

ИНСТРУКЦИЯ
«Как не застрять в невротических отношениях»

Самое главное правило — не выяснять отношения с партнером. Разбираться не с ним, а с собой. Примерно так.

(Когда есть ощущение, что залипаешь на очередного абьюзера.) Если возникает знакомое двойственное чувство, что и тянет, и хочется, а в то же время что-то напрягает, расстраивает в его отношении, поведении, оставляет неприятный осадок, а какие-то поступки предмета вашего вожделения и вовсе обижают, — ЭТО ОНО!

Шаг первый: пока не поздно — соскакивать! Это единственный правильный выход.

Шаг второй: осознать, что это не любовь — это ловушка, невротические эмоции. Что тянет не к парню (девушке), а к тем эмоциям, которые можешь получить благодаря тому, что партнер проигнорирует, обидит, унизит.

Шаг третий: перетерпеть ломку. Даже выйдя из отношений и осознав, что вы все делаете правильно, обязательно почувствуете желание позвонить, написать, проверить, как он там... Если желание очень жгучее, можно, конечно, попробовать. Но можно и продержаться несколько дней, недель, месяцев. После чего обязательно станет легче. И это будет шаг к психическому здоровью и новым, здоровым отношениям.

Шаг четвертый: даже не пытаться обижаться на родителей. Остановиться на том выводе, что они дали детям все, что могли. И у них были свои неврозы и свои причины вести себя так, а не иначе.

Шаг пятый: осознав проблему, лечить голову системно. Обратиться к психологу. Найти в себе ресурсы, начать работать над собой, меняться, чтобы получать наконец радость и удовольствие от жизни в целом и от отношений в частности.

Если вы хотите замуж, встречаетесь или даже живете вместе уже полгода-год и ничего не происходит, надо попробовать самой сделать предложение. Если мужчина не готов создавать семью — значит пришла пора с ним попрощаться. По-хорошему, конечно. Типа, я очень тепло к тебе отношусь и буду продолжать в том же духе, но подальше от тебя.

Если кто-то собирается замуж или жениться, имея в анамнезе проблемы с сексом, советую либо вообще бросить эту затею, либо сначала решить проблему и только потом думать об остальном.

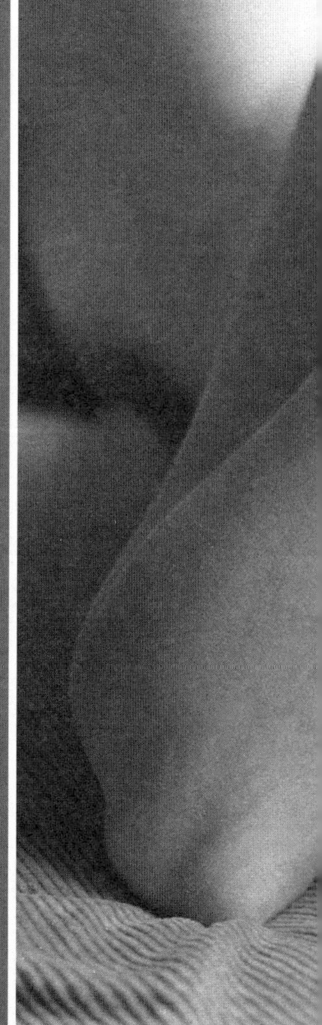

P. S. Понял, что как-то обошел вниманием мужчин, ставших жертвами своих матерей. А имя им — легион. Так вот, невротиками становятся мужчины, у которых была авторитарная и/или агрессивная мать. И она либо вообще не обращала внимания на сына, игнорировала его существование, либо занималась им по необходимости, была эмоционально холодной. Мальчик в детстве страдал, ему не хватало материнского тепла, внимания, он мог бояться мамы, находиться под ее давлением. Как вариант — вообще не воспринимал ее как мать, потому что наличие матери было скорее формальностью: она о нем не заботилась, вечно где-то бегала, он редко ее видел и звал по имени. «Наташа приехала», «Наташа нашла нового хахаля»...

Когда такой мальчик вырастает, предмет его вожделения — холодная, стервозная, местами жестокая, ничего не дающая ему женщина. Он мучается ревностью, постоянно выясняет с ней отношения, чувствует себя ущербным. А когда в семье рождаются дети, то ревнует ее и к детям.

На любящую, заботливую у него элементарно не стоит. А если женился на хорошей девочке по ошибке или по залету — то вскоре уже ищет себе стервозную любовницу.

Трагедия этих людей в том, что они никогда не получают от отношений и любви ни удовольствия, ни счастья. Любовь для них — это сплошная жалость к себе.

Про любовь и либидо

Ляг, отдохни и послушай, что я скажу:
«Я терпел, но сегодня я ухожу»,
Я сказал: «Успокойся и рот закрой.
Вот и всё. До свидания, черт с тобой».

«Агата Кристи». Как на войне

Один мой знакомый в возрасте под 50 стал ходить в фитнес-клуб и сильно запал там на женщину с соседней беговой дорожки. Не решался подойти, пристально смотрел, потом долго обхаживал и, когда наконец попросил у нее номер телефона, услышал: «Ты что, идиот? Я ж твоя первая жена». История реальная. И не про склероз, а про то, что мы западаем на одно и то же. (И с этим ничего не поделаешь.)

Обычно я не только говорю о проблеме, но и советую, как с ней справиться. Но сейчас все будет не так однозначно и радужно.

Поэзия либидо

Дело в том, что сексуальное влечение у нас всю жизнь вызывает примерно один и тот же внешний облик и один и тот же набор качеств и черт… Влечение включается или молчит, когда мы впервые видим человека и бессознательно его оцениваем. Как известно, мужчина принимает решение «хочет — не хочет» в течение 3–4 секунд, женщина подольше — 7–8. Но за этими секундами стоят годы и годы ранних переживаний.

Либидо покоится на всем опыте совсем детских и уже подростковых впечатлений, картинок, эмоций, страданий. И все они прячутся глубоко в бессознательном, а на поверхности остаются, например, форма ногтей, мочка уха, цвет кожи, форма груди, рук... И вроде такие очевидные приметы и конкретные параметры, но на самом деле все гораздо сложнее и непонятнее.

Если набор ключей к подсознанию собирался в благоприятной обстановке, где все друг друга любили и уважали, то ваше либидо никогда не выберет «отрицательного героя». Вы из тысячи узнаете человека, который сможет дать все то, к чему вы привыкли в своей семье. А вот если отпечаток наложили плохие события, шокирующие подробности, неприятные детали и это крепко связалось с болезненной привязанностью к родителям, с жаждой любви и тепла — дело плохо. Страдания неизбежны.

Опытный парфюмер унюхает в либидо запах пьяного отца и кухни, крики матери «Не стоило тебя вообще рожать!», вкус непонимания и отчуждения. За запахом волос и цветом губ может скрываться страх детского одиночества и вечное ожидание праздника...

Словом, о либидо можно написать поэму — настолько сложные и тонкие настройки приводят его в действие. Собственно, о нем вся любовная лирика: когда поэт видит «цветок душистых прерий» в каждой кассирше — это не просто так. Именно кассирша с помадой цвета вырвиглаз отвечает его представлениям об идеальном сексуальном объекте. Но это не самое страшное. Выбор объекта иной раз оказывается порочным и губительным в самом прямом смысле слова...Ситуации бывают и вовсе невыносимые. Когда люди страдают из-за своего выбора и пытаются вырваться из порочного круга, но либидо непоколебимо.

Предупрежден — значит вооружен

Я всегда говорю, что в результате определенной работы над собой вы перестаете быть жертвой и отношения, которые не приносят вам удовольствия и всяческих радостей, отсыхают и отпадают, как болячка. Полюбив себя и впервые в жизни зауважав свои желания, вы чувствуете, что прекрасно можете (более того, хотите!) обходиться без тяжелых, невротических отношений, и легко от таких избавляетесь. Без сомнений, метаний и бурных сцен расставания.

Но тут есть одна загвоздка, о которой я не говорил ранее: к сожалению, ИНОГДА ОСОЗНАНИЯ НЕДОСТАТОЧНО. И мой долг — предупредить вас об этом.

В мыслях вы можете измениться, стать другим человеком, ясно увидеть ничтожность предыдущего партнера и его попыток «поставить вас на место»; вы можете с сожалением взирать на прошлую жизнь, где только и делали, что смирялись с недостатками своих «объектов»... Но вашему либидо на это чаще всего наплевать. Оно продолжает реагировать и делать стойку только на многословных наркоманов, агрессивных алкашей, самовлюбленных козлов, безответственных инфантилов (тупых стерв, корыстных нимфоманок, ленивых дур, жестоких карьеристок, алкоголичек, особенно невыносимых с похмелья).

Заходит ко мне девушка, левая рука вся в синяках, говорит: «Муж агрессивный, ревнивый, не контролирует себя. Я с ним болею, изнашиваюсь, старею на глазах. Выясняли отношения, схватил за руку... но я не могу от него уйти». Спрашиваю: «Почему? У вас нет денег? Вам жить негде?» Оказывается, нет — просто ей никто больше не нравится, «как мужчину воспринимаю только его».

Или мужчина рассказывает, что жена ему сказала так: «Я тебя не люблю, не любила никогда, ты мне отвратителен. В определенный момент ты был мне нужен, я тебя использовала».

И ушла от него. И знаете, о чем он меня спрашивает на приеме: «Как думаете, можно я ей позвоню?»

Ведь даже **если говорить о настоящей любви, то будем откровенны: любовь — это теплые чувства к тому, кого уже выбрало наше либидо.** И неужели остается только два варианта: жить с мучителем, но испытывать реальные сильные чувства либо избавиться от того, кто заставляет страдать, и заодно вычеркнуть из своей жизни глубокие переживания, оставшись один на один с пресной действительностью?

Здоровые связи

Что в таких случаях может сделать психолог? По идее он должен помочь жертве прекратить хотеть своего мучителя. А это терапия почти такая же сложная, как операция по изменению пола, только без хирургического вмешательства. Нужно переписать всю детскую историю, весь бэкграунд человека. И мне эта проблема очень интересна с профессионально-прикладной и человеческой точек зрения. Моя задача — чтобы после терапии пациента стало прямо тянуть к добрым, хорошим людям. Чтоб он для начала заметил, что они есть.

Вообще я против расставаний через силу. Расставаний в жанре «Я тебя никогда не забуду, я тебя никогда не увижу…». Метания, страдания, и пошло-поехало — драма, слезы, «я люблю тебя, я не могу без тебя жить, но раз ты так со мной поступаешь…».

Не можете жить — так не расставайтесь! Невротические отношения — это именно когда врозь невозможно, а вместе еще хуже. **Фокус не в том, чтобы развестись или расстаться, а чтобы вас перестали сексуально привлекать те, кто вас мучит, изводит неважно чем — побоями или невниманием.**

Но, как я не раз говорил, многие, избавившись от одних партнеров-палачей, тут же находят точно таких же либо подобных. Человек все может понимать, а его либидо — нет. Ведь умозрительно все мечтают примерно об одном и том же: женщины — о сильном, добром и понимающем, уверенном в себе принце; мужчины — о хрупкой, домашней, с большой грудью, сексуальной хозяюшке. Но в реале строят отношения, спят и создают семьи с совершенно другими людьми. И снова — мозг хочет одного, а либидо — совсем другого.

Про себя могу сказать, что меня привлекали женщины, которые не обращали на меня внимания. Чем меньше, тем «лучше». И наоборот: женщины, которые проявляли ко мне повышенный интерес, тут же переставали мне нравиться. Наверное, это потому, что в детстве я не часто слышал от своей матери, что она меня любит…

Но я никогда не сдавался и могу сказать, что все не так фатально. Три года я живу, придерживаясь «тех самых» шести правил, и мои собственные реакции и вкусы полностью изменились. Прежде всего изменилось отношение к женщинам. И либидо моих пациентов медленно, но меняет вектор. Разрушается невротическая рефлекторная дуга, создаются новые здоровые нейронные связи, поднимается самооценка. В результате не только сознательные, но и подсознательные реакции становятся другими. Наблюдать за этим удивительно, интересно и приятно. Хотя задача, повторяю, сложная, и, если мне удастся окончательно ее решить, я, наверное, Нобелевскую премию получу.

Здоровый человек выбирает того, кого он заслуживает в самом хорошем смысле слова. Если это не так — вы не сдавайтесь, думаю, мы решим эту проблему.

Про секс

И запомни, Дора, секс в мыслях мужчин опасен в двух случаях: если в мыслях всегда только секс и если секс всегда только в мыслях…

Одесская мудрость

Некоторые вступают в брак, уже зная, что в сексе они не совпали: что хотят от этого дела совершенно разного и дать этого друг другу точно не могут. Но при этом все равно женятся! Думают, для создания семьи есть основания более веские, чем радости плотских утех: духовное родство, общие интересы, совпадающие вкусы и совместные цели… «Мы оба хотим завести малыша» и, в конце концов, «нам так весело вместе» — утверждают они и бегут в загс.

В худшем случае это кончается тем, что жена через раз говорит мужу: «Давай уже сзади и побыстрее, А ТО СОВСЕМ НЕВЫНОСИМО». Помучившись какое-то время, он… заводит любовницу.

Или вот некоторые женщины никогда не проявляют инициативы по поводу интима. И мужик вообще не знает, хочет она его или нет. Вернее, с какого-то момента думает, что не хочет тире не любит. Встречает женщину, которая откровенно демонстрирует заинтересованность в сексе с ним… и заводит любовницу.

Или спрашиваешь, например, на приеме: «Вы практикуете оральный секс?» И слышишь ответ как из классического

Множество неудачных попыток завязать отношения или даже построить семью совершается из-за неверия, что на свете есть наш идеальный партнер — человек, который подходит нам по запаху, температуре тела и сексуальным привычкам.

анекдота: «Чтоб она этими губами потом моих детей целовала?» Это тяжелый инфантилизм. Потому что только у подростков платонические чувства отделены от эротических переживаний. Влюбляются они в голубые глаза одноклассниц, а в сексуальных фантазиях представляют себя со взрослыми женщинами. Когда мальчик взрослеет, влюбленность и сексуальное влечение совмещаются. А навсегда отставшие в развитии остаются на позиции: «Моя жена — мать моих детей — это святое». А для секса заводят любовницу.

(О причинах женских измен поговорим отдельно.)

В лучшем случае (хотя почему — лучшем?) кто-то из супругов приходит ко мне на прием и спрашивает, как жить дальше, «ведь мы с женой как родственники» и «это мой самый близкий на земле человек», но секса с ним нет и не хочется. А на сторону идти противно. И это действительно большая трагедия, когда люди по-настоящему друг друга любят, но не хотят. И тут надо что-то решать. И решать лучше до свадьбы и появления детей. Потому что никакое духовное родство не спасет семью с сексуальной дисгармонией. ПОТОМУ ЧТО СЕКС — ВАЖНЕЕ ВСЕГО в отношениях. Секс — основа основ, и он тоже в голове, там же, где и общие интересы.

И конечно, замечательно, если вам нравятся одни и те же фильмы Феллини, но ведь по большому счету после хорошего секса не важно, что она там смотрит — «Дом-2» или сериал «Верни мою любовь» на канале «Россия-1». А вот после неудачного, тем более неоднократно неудачного, и Феллини не поможет. Потому что, **если у людей все хорошо в сексе, значит, в каких-то главных, глубинных, базовых вещах они абсолютно солидарны. И это самый важный уровень, на котором надо совпасть паре.** А за ним последуют бытовой и человеческий. Но наоборот это не работает.

Моя бабушка спрашивала у врача скорой, который приехал спасти ее от гипертонического криза: «А вы Цвейга-то читали?»

И если не читал, давала ему книжку с собой. Ей больше нравилось иметь дело с врачом, который читал классику. Так вот, с партнерами так не надо. Высокие отношения — это хорошо, а секс — лучше, особенно если вы собираетесь жить с человеком долго и счастливо.

Бывает какой-нибудь сослуживец, знакомый, друг — умный, красивый, вменяемый — начинает вдруг встречаться с девушкой, которая пользуется фиолетовой помадой и говорит «нипóняла». И у них явно любовь и полное взаимопроникновение. Общественность в недоумении, почему именно эта лохушка? Дескать, вокруг него, такого респектабельного, вьется столько шикарных, одетых со вкусом телок! Среди версий мелькает вульгарно-народная: «Наверное, она дает хорошо». И эта версия самая верная. Подошли люди друг другу в постели, а хорошо одетые девушки «его круга» так старались поддержать разговор о Кьеркегоре, что не могли расслабиться.

И немного романтики: КОНЕЧНО, многое зависит от того, встретим мы «своего» человека или нет. Такого, чтоб и друг, и любовник (подруга жизни / любовница) одновременно — это действительно самое удачное сочетание и залог семейного долголетия. Мы все о таком мечтаем, благодарим судьбу или сетуем на нее, забывая, что **в счастливых встречах нет абсолютно ничего случайного. Что своего идеального партнера встречают люди, которые к этой встрече готовы:** они разобрались с собой, своими детскими травмами и комплексами, пережили и изжили жесткие неврозы, знают, чего хотят от жизни и противоположного пола, и у них нет серьезных конфликтов с самим собой. В противном же случае каждые новые отношения становятся испытанием на прочность для обоих участников и неизбежно кончаются взаимным разочарованием. (И новыми комплексами.)

Что там говорить, множество неудачных попыток завязать отношения или даже построить семью совершается из-за неверия, что на свете есть наш идеальный партнер — человек, который подходит нам по запаху, температуре тела и сексуальным привычкам. Часто народ рассуждает так: «Да, мне не нравится, как он суетится в постели, но зато вроде человек хороший, а его мама обещала нам квартиру подарить». Или: «Она, конечно, несколько странно реагирует на мои ласки, зато готовит хорошо и, наверняка, станет хорошей матерью моим детям».

Да не должно быть никаких ЗАТО! Решаться на брак, семью, детей надо с тем, кто ВАШ на чувственном, эмоциональном и сексуальном уровне. Все должно быть вместе! А для этого гармония должна быть внутри вас.

Про стерв

К нам выбегает веселая собака породы «бешеный урод».
Она орет на меня, будто мы женаты.

Слава Сэ

Многие мужчины обожают стерв, прямо надышаться на них не могут и глаз не сводят, в то время как правильные девушки с тонкой душевной организацией сильно удивляются — в чем дело? «Я его холю и лелею, покупаю рубашки, не истерю, не пристаю с навязчивыми вопросами "Ты где? Когда будешь?", а он снова вернулся к своей суке-жене, которая все время орет и лупит его мокрым полотенцем по мордасам».

А все закономерно.

Дело в том, что, прежде чем познакомиться со своей первой стервой и полюбить ее всей душой, мальчик сначала родился у мамы. И мама с ним не церемонилась: если он делал что-то не так, она не рыдала над раковиной и не рефлексировала, а давала подзатыльник и лишала сладкого или не пускала гулять. Вместо «доброе утро» он слышал: «Ты что, дурак?» А вместо одобрения — любимое пророчество суровых мамаш: «Старайся, а то дворником будешь». Вероятно, когда он был подростком, ему повторяли и что-то вроде «воняешь козлом», и «я сейчас тебе эти носки в тарелку засуну»... Особо экзальтированные мамаши брались за ремень.

Вырастая, такие мальчики не очень-то понимают, когда противоположный пол с ними сюсюкает,

потакает их безобразиям, глотает обиды, да еще и рыдает на заднем сиденье. А вот уловив в голосе женщины сталь, командный тон и слова типа «я начинаю терять терпение», они немедленно делают стойку и только и мечтают, чтобы на них накинули поводок.

Так называемым стервам даже не приходится специально ничего делать, мужчины сами тащат их в загс, заваливают подарками и ведут себя предупредительно, внимательнее, чем с матерью.

Но обычно, чтобы сформировать любителя стерв, одной мамы маловато. Эффект усиливает и закрепляет «учительница первая моя», которая ласково приговаривает: «Чтобы так написать контрольную, надо, чтоб мозга у ребенка вообще не было», «Я 50 лет работаю в школе, но такую бестолочь вижу впервые!» — а может, даже бьет мальчика указкой по пальцам или линейкой по спине. (Да, сейчас таких вещей стараются не допускать, но только в школах Центрального административного округа Москвы, в целом же по стране грубость со стороны учителя — отнюдь не редкость. А некоторые родители ее даже поощряют.) Потом малыш шел домой, где его поджидала любимая мама со словами: «Не думала, что мой сын будет такой бездарностью».

Понимаете механизм, да? Мама — это первая женщина, которую он увидел в жизни и которую тут же полюбил навсегда. А учительница — вторая влиятельная женщина, ее авторитет в какой-то момент даже посильнее, чем авторитет матери. Если две первые и главные женщины его жизни были ефрейторами в юбках, ему уже никогда не приглянется застенчивая лань.

Вот теперь ему 20, 30, 40, а может, даже 50 лет, и угадайте, какие же девушки нравятся этому парню? Не умозрительно нравятся, а на уровне инстинктов, подсознания, старого доброго либидо. Конечно же, его непреодолимо влечет к эгоисткам, которых мало волнуют его желания, самочувствие и планы. (Зато секс и дети выдаются ему только в качестве награды за хорошее поведение.) Под их командованием он чувствует себя привычно, как дома…

И как он будет строить отношения со стервами? Он будет стараться им угодить, ловить их взгляд, угадывать желания и бояться облажаться — в общем, изо всех сил стараться быть хорошим сыном для своей новой мамы. А та, конечно, всю дорогу чем-то недовольна. (А если довольна — то ненадолго. А если надолго — то перестанет его возбуждать.)

Он как бы все время в чем-то сильно виноват: мало зарабатывает, мало бывает дома, что-то забыл, куда-то опоздал, не уделил должного внимания проблеме, или ее маме, или ее просьбе, и пошло-поехало: «Ты меня не любишь! Я тебе что, дешевка какая-то?» И щелкает воображаемым хлыстом. А ему только этого и надо. Он бросается заглаживать несуществующую вину, зарабатывает прощение и тут же получает следующий выговор. И так по кругу, вернее, как на качелях. Дух захватывает, и не скучно.

Если женщина умеет вызывать в муже эти счастливо-несчастные переживания, напоминающие детские истории, она может не беспокоиться за будущее семьи.

Психика работает просто: человек хочет пережить свои детские эмоции, находит женщину, которая напоминает ему маму, и строит похожие отношения. Мать всегда была им недовольна, он ее побаивается и много лет придерживается тактики «лишь бы не обострять». С женой то же. При этом страх потерять свое второе детство заставляет его ревновать жену к каждому столбу и зачастую в этой модели отношений — небезосновательно.

Таких мужчин больше, чем принято думать, чем видно невооруженным глазом, я чуть ли не ежедневно наблюдаю их в своей консультации.

Теперь про женщин в таких парах. Не дай бог подумать про них плохо! Ибо им правда плохо. Они страдают искренне и глубоко. Им не нравитесь — ни вы, ни дети, ни как жизнь складывается. Они живут с полным горечи чувством, что молодость их загублена, что им достался самый худший из возможных сценариев и самый нелепый муж. Ни счастья нет, ни радости… Они любят посетовать на свою горькую судьбину, порассказать, с каким инфантилом им приходится коротать дни. «Я маюсь», «Вышла замуж за ребенка», «Я-то мечтала, что рядом со мной будет сильное плечо, а тут…», «У меня двое детей, муж — старший».

Как правило, это девочки из семей, где мать сильно доминировала, а отец был эдаким бессловесным придатком. Ей такая модель семьи понятна и знакома.

Заявляю совершенно определенно: если мальчик рос в атмосфере любви и уважения, был окружен заботой и поддержкой, он никогда не позарится на стерву. Патологическая тяга к разного рода стервам — признак серьезного неблагополучия в отношениях с матерью. Впрочем, эмоциональная потребность находиться именно в таких отношениях с партнером говорит о проблемах обеих сторон.

ИНСТРУКЦИЯ
«Как разлюбить стерву»

Во-первых, осознать, что ситуация в отношениях с вашей женщиной нездоровая и нездоровая она по причинам, далеким от романтики и роковых страстей.

Вы ругаетесь не от большой любви. Причина в том, что вы, как наркоман, испытываете потребность в конфликтах. Таких бурных, страстных, мощных конфликтах, на фоне которых отношения спокойные, здоровые, «взрослые» кажутся вам пресными. Вам нужно себя жалеть, обижать и обижаться, чтобы в конце концов начать причитать: «Я что, мало делаю?», «Я что, не заслуживаю уважения?» и «За что мне все это?». Все это невротические симптомы с нехорошими последствиями. И такие симптомы сами по себе не снимаются.

Если вы не примете решения и не изменитесь, вы всегда будете находиться в состоянии конфликта, не расставаться с чувством вины и жалости к себе, в статусе то палача, то жертвы. Это нездорово, неправильно и чревато, когда в семье годами несчастливы абсолютно все.

И кстати, не забывайте — человек, который заставляет вас страдать, всегда сильнее вас. Хотите оставаться слабаком?

Во-вторых, советую, если женщина повышает на вас голос, оскорбляет, манипулирует, хлопает дверьми (а я гарантирую, что она ведет себя так не случайно, для нее это норма, а в вас она учуяла подходящую жертву), скажите ей, что, если такое повторится, ваши отношения на этом закончатся.

Психически здоровые мужики пресекают все это в первую же истерику, но лучше поздно, чем никогда. Ломать парадигму можно на любом этапе и сроке отношений.

Осознав, что вас раз за разом притягивает к определенному сорту женщин, и разобравшись, почему это происходит, вы оказываетесь на полпути к выздоровлению и на полпути к женщине, которая будет о вас заботиться. Сталкиваясь с проявлениями стервозности, не склоняйте голову, сопротивляйтесь навязываемому чувству вины, не погружайтесь в ситуацию, не позволяйте ей повториться.

Конечно, не сразу, после этапа перенастройки, ломок разной степени тяжести, но ваша неестественная тяга к стервам обязательно пройдет. И вы начнете реагировать на них как нормальный человек, а не как приверженец садомазо. Нормальный же человек не продолжает отношений, в которых его не уважают. Впрочем, он их даже и не начинает.

Про «Иронию судьбы»

Я уже делал предложение одной женщине, и, к моему великому удивлению, она согласилась. Но потом, когда я представил, что она будет жить у меня в комнате, каждый день мелькать у меня перед глазами туда-сюда, туда-сюда…

Женя, к/ф «Ирония судьбы, или С легким паром!»

С 16 до 40 лет «Иронию судьбы» смотришь как комедию (пусть с элементами мелодрамы) и ржешь. Но после 28-го просмотра понимаешь, что юмор там грустный. А герои, если взглянуть на них трезво, неприкаянные люди.

Надя, например, не выбирает мужчин сама. Посопротивлялась некоторое время, да и прильнула к случайному в ее жизни Лукашину. А Ипполит собирается жениться на женщине, которая его не любит. Разве это нормально? Ну, и инфантильный Лукашин, которого вполне устраивает жизнь с мамой, а сильные эмоции он испытывает только во время редких, но фееричных уходов «в отрыв». Отношения между всеми ними, конечно, сложились бы не так, как придумал Рязанов, стремившийся сделать добрую, праздничную картину. Новогоднюю сказку.

И ему это удалось, конечно… Но я (возможно, в силу профессиональной деформации) вижу, что это фильм о том, как никто никого не любит и никто никому не нужен. В жизни такое кончается плохо. Ну, или не плохо, а просто так, «как в жизни».

Надя

Несчастная одинокая учительница. «Прихожу домой, сажусь в кресло и начинаю себя жалеть…» В свои 34, выбирая Ипполита в женихи, она исходит исключительно из соображения «годы берут свое и пора бы обзаводиться нормальной семьей». А Ипполит хоть и не очень любимый, зато «положительный», и у него серьезные намерения. «И подруги советуют: смотри не упусти…» **Но все мы понимаем, что, когда женщина по-настоящему любит мужчину, ни один пьяный Лукашин, завалившийся в квартиру, не может поменять женские планы.** То есть о любви к Ипполиту речи тут вообще не идет. Что сразу нездорово.

Надя в каком-то смысле жертва. На длительную связь с женатым мужчиной способны только они.

— Встречались два раза в неделю. В течение 10 лет. А по субботам и воскресеньям я оставалась одна, не люблю субботы и воскресенья. Вообще праздников я не люблю.

— Он был женат?

— Он и сейчас женат…

Женатый мужчина — это мужчина, которого у вас нет. А так как Надя умеет любить только того, кого нет, она и западает на Лукашина — следующую версию такого несуществующего мужчины. Он хотя и холостой, но из другого города и жениться на ком бы то ни было явно не рвется. Так что Надя как была одна и неприкаянная, такой и останется. (Не зря в продолжении, снятом Бекмамбетовым, ясно, что Надя замуж за Лукашина

родопи

Идут два человека
по улице, и один
из них, допустим,
ковыряет в носу.
И вот первому за него
почему-то стыдно.
Хотя это: а) не его
проблема; б) не его
палец; в) не его нос
и не его сопли.
Его тут только низкая
самооценка.

так и не вышла, потому что даже в кино жертва остается жертвой — логика образа.)

Ипполит

Еще один очень грустный персонаж. Почему он собирается жениться на женщине, которая его не любит? Потому что такие типы категориями «любовь — нелюбовь» отношения не мерят. Помните его диагноз Жене?

> — Для вас нет ничего устоявшегося, ничего законного, ничего святого. Такие, как вы, всюду суют свой нос, верят не в разум, а в порыв!

То есть сам он мыслит категориями «плохое — хорошее», «порядочно — непорядочно», «стабильно — нестабильно», «можно доверять — нельзя доверять». У невротиков так и бывает.

Для Ипполита Надя просто прекрасный вариант: хороша собой, не сильно молодая и не так чтобы в возрасте, работает учителем, интеллигентная, вся из себя положительная. В общем, она ему «подходит». И даже дополняет его рационализм и разбавляет его сухость.

> — То, что он появился в твоем доме, вполне соответствует твоему характеру. Ты — безалаберная! Молчи, ты — непутевая!

При этом Ипполит страшно не уверен в себе. И от этого, собственно, все несчастья. Представим, что Ипполит отреагировал на появление Лукашина без истерик. Максимум сказал бы: «Надя, ну что это такое?» И вежливо и адекватно выпроводил бы его вон. На этом всё! Коллизия даже не начала б разворачиваться. (И фильм не был бы снят, но сейчас не об этом.) Вместо этого только что вежливый жених резко переходит к агрессии. Выражает свой гнев, оскорбительное для Нади недоверие и ревность. «Может, между вами уже что-то произошло?» Начинает выяснять отношения, суетливо выведывать подробности. В общем, типичный ревнивец с низкой самооценкой. Характерное выражение «Не делайте из меня идиота!».

А ведь Надя и не хотела, чтобы Лукашин оставался в квартире. Но Ипполит завелся, сам за всех всё сказал, придумал их роман, расстроился и со скрежетом уехал в ночь.

Теперь Лукашин

— Я выпью, разбуянюсь, расхрабрюсь и наконец скажу тебе все, что я должен сказать…

— Женька! Неужели ты сделаешь мне предложение? После двухлетнего знакомства!

— Ммммммм, давай подождем до Нового года… Давай подождем!

— Я боюсь, у тебя никогда не хватит смелости.

Для Жени женитьба на Гале — это поступок, продиктованный вовсе не желанием воссоединиться именно с Галей, завести семью… Идея брака тут тоже сквозит именно с точки зрения «пора и надо» и «так положено». И хорошо, что инициативу в этом вопросе целиком взяла на себя Галя.

— Женя, я хочу встречать Новый год с тобой! И только с тобой!

— Правда? Давай! А кого мы еще позовем?

— В том-то весь и фокус, что никого!

— Как никого? А мама? Мама с нами будет?

Слова любви в дальнейшем объяснении звучат как обязаловка, как ответ на ожидания Гали и формальную составляющую «официального предложения». А само предложение руки и сердца — это явно поступок холостяка, который на всех скоростях движется к 40 годам.

Отношения между Женей и Надей

Возникли сразу как конфликтные. Пусть это комедийный конфликт, однако с самого начала они непрерывно ругаются. И перестают ругаться, только слившись в поцелуе. Любовь вроде бы побеждает. Тем не менее изначально они не очень-то близкие по духу люди. Надя правильная, тихая, даже забитая, а Лукашин более «оторванный», время от времени — настоящий наглец и беспредельщик.

Тут дело в том, что Женя принадлежит к тому многочисленному отряду мужчин, которые испытывают эмоции только в момент отрыва (в том числе от мамы), когда появляется драйв, экшен с элементами хулиганства. А потом он спокойно возвращается к будням, приемам в поликлинике и нерегулярным свиданиям на стороне. А то, к чему стремится Надя (и, кстати, Ипполит тоже), тихая семейная жизнь, — это совсем не его! Ну не по этому делу Лукашин! Просто Надя подвернулась ему как раз в такой момент, когда его вырвало из привычной жизни, глючило и колбасило. Отсюда и сильные чувства. Как он говорит: «Я впервые чувствую, что на все способен!» Знакомо?

А помните, как он постепенно трезвел, Надя стала покупать ему билеты в Москву, а он свой отъезд истерически пытался отложить? Типичное поведение человека, которого кайф постепенно отпускает, а он любой ценой хочет продлить состояние опьянения. Потому что знает: протрезвев, он будет чувствовать и вести себя совершенно иначе. Так что, придя в себя в Москве и увидев, что рядом сидит Надя, он запросто мог и не обрадоваться.

Конец фильма

С точки зрения такого человека, как Лукашин, ему бы пожить с Надей какое-то время, понять, что она за человек, не будет ли раздражать ее мелькание «туда-сюда». Но он прекрасно понимает, что обломал Наде наклевывающийся надежный брак, выгодную партию и поэтому как честный человек должен жениться на ней. Тут возникает вопрос номер один: а что с мамой делать? У Лукашина с мамой очень хорошие отношения, он рад бы с ней никогда не расставаться. И, наверное, это могла быть первая проблема в отношениях: свекровь живет вместе с молодыми.

— Ты знаешь, мама, мне кажется, я женюсь.

— Мне тоже так кажется.

— Ну и как тебе Галя? Нравится?

— Ты же на ней женишься.

— Но ведь ты же моя мама!

— Главное, чтобы ты об этом помнил после женитьбы.

И он бы помнил!

Вариант номер два: Лукашин, как человек, на самом деле не очень стремящийся к браку, захотел бы оттянуть момент женитьбы и, вполне возможно, стал бы жить на два города. То есть в свободное от работы время герои начинают ездить друг к другу в гости. У Нади образуется еще один гостевой брак. Но и тут не скрыться от проблем с мамами, которые никуда не деваются и живут вместе с Надей и с Женей в Питере и Москве. И гостевой брак, и конфликты с мамами — некинематографичные, зато очень реальные житейские сценарии.

Вариант третий — это сценарий самого фильма, только не про Галю, а про Надю. То есть Лукашин живет с Надей, но как-то раз напивается и встречает Машу, Наташу, Катю, Эльвиру или Снежану… Почему? Потому что, как мы уже и говорили, с Надей ему предлагается размеренная семейная жизнь, та жизнь, которую Надю планировала с таким чуваком, как Ипполит. А Жене подавай холостяцкий образ жизни и периодические мальчишники.

С детьми тоже большой вопрос, так как Лукашин сам как ребенок, и вполне вероятно, что Наде тут бы ничего не обломилось. Надя сидела бы над тетрадками, а Лукашина колбасило бы уже по другим женским именам, главное, редким.

— Да и не надо мне жениться, мам. Зачем? Все равно никто не будет за мной ухаживать лучше, чем ты. Представь себе, здесь у нас появится посторонняя женщина, еще не известно, как вы поладите, да и поладите ли? Я начну раздражаться… Нет! К черту!

Уроки

Все это невесело, но, если усвоить уроки, которые столь талантливо преподал нам Эльдар Рязанов в своих фильмах, в вашей жизни подобные ситуации могут развиться совершенно иначе.

Допустим, вы поняли про себя все или почти все: что вот вы такой, какой вы есть, и у вас есть верность вашему характеру. А еще у вас есть жених или невеста, от которых вы чего-то ожидаете и которыми вы не очень-то довольны. Но при этом вам кажется, что брак и рождение детей многое поменяют в вашей жизни. Так вот: ничего подобного. Люди не меняются.

Или, например, вы чувствуете себя очень одиноко, и вам кажется, что, когда вы встретите родственную душу, ваше одиночество на этом закончится. Ничуть не бывало. Почему? Потому что если вы одиноки, то встретите вы такого же одинокого человека и ваше одиночество будет помножено на два.

Поэтому: если вы не хотите разочарований от иллюзий, то, во-первых, не стройте иллюзий. Не считайте, что любовь, женитьба или какая-то другая ситуация поменяет вашу психологию или психологию вашего избранника. Думать/мечтать/грезить, что «когда мы поженимся, он пить перестанет», это ошибка. И что он нагуляется до свадьбы, а потом резко станет верным супругом — тоже.

Поменять можно только себя. А начать лучше с того, чтобы научиться себя понимать, разобраться, какой вы человек, что вы по-настоящему любите, чем по-настоящему дорожите, что такое для вас хорошо, а что плохо… И самое главное: кто вам нужен в качестве партнера со всеми вашими особенностями и вашим характером. **А если вам нужны хорошие отношения в паре, существует только один вариант их построения: принять человека таким, какой он есть. И не ждать от него того, чего он дать в принципе не может.**

«Как бросить любимого, если понимаешь, что он козел?»

Правильно построенная любовь заканчивается не смертью, а утонченным финалом, так чтобы у обоих потом остались красивые воспоминания. Мы не даем чувству умереть, мы срезаем его, как цветок. Это немного больно, но зато потом не остается ни обиды, ни горечи. Ты мне так нравишься! Ради тебя я придумаю что-нибудь особенно прекрасное, вот увидишь.

Б. Акунин. Алмазная колесница

Когда вы именно «бросаете» любимого, то ведете себя как наркоман, который решил завязать. Вы-то решили, а организм ничего такого не решал и оказывает сопротивление. Начинается депрессия, ломка. Поэтому главное правило в таких случаях — менять себя, учиться любить себя, разбираться со своей головой, своими проблемами. И тогда и бросать никого не понадобится. Вернее, это не будет проблемой.

В невротических отношениях вам важен не сам человек, а те эмоции, которые он поставляет в вашу жизнь. Партнер для невротика — объект, в котором удобно размещается обида на родителей, да и на всех остальных обидчиков тоже. Обида и чувство унижения — это вообще его основные и любимые эмоции. Ему без них и жить непривычно. Бросив партнера, невротику приходится размещать отрицательные эмоции в себе самом, что неприятно, тяжело и сродни интоксикации.

Если объект возвращается, то, как классическому наркоману, вам и плохо, и хорошо одновременно. Плохо от того, что вы уже знаете, что он вашей любви не заслуживает, а хорошо вам, потому что снова есть на кого сливать раздражение.

Я к тому, что **совершенно бесполезно кого-то бросать, пока вы не изменились внутренне и пока партнер для вас — способ решить свои сугубо внутренние проблемы. Поплачете-поплачете и нового такого же найдете.**

И потом, зачем кого-то бросать, если вы его действительно любите? А дальше что? Выбирать рационально по таким признакам, как надежность и «он человек хороший»? Но кто согласен жить с мужчиной, который, может, и хороший человек, и отец прекрасный, но при этом вы его не хотите, и все тут! Правильно, никто.

Это же отношения, в которых вы живете головой, а эмоции так или иначе ищете на стороне. Вас ломает, вы маетесь, но нет — он же хороший человек!.. Абсолютно ущербные отношения, на мой взгляд.

Любимого или принимать полностью таким, какой он есть, или уж не принимать совсем — золотое правило.

Точно не надо расставаться с человеком из-за того, что он, например, не выполняет каких-то домашних обязанностей. Вот подводит по каким-то пунктам, не соответствует вашим представлениям о том, что должен и чего не должен делать мужчина. Тут же абсолютно все условно и субъективно. Вот ваш муж, к примеру, академик Ландау — это же ясно, что никогда и ни при каких обстоятельствах он не будет прибивать полочки и мыть посуду. Как бы он вас ни любил и как бы вы его ни строили. Это просто другой человек. Ну, не делает он чего-то! Если вы его любите и хотите с ним жить, надо просто сказать себе: «Он не прибивает полочки, поэтому я найму специально обученных людей, которые этим займутся».

Категории «хороший — плохой», «правильно — неправильно» в отношениях не действуют. Для вас он хороший? И живите с ним.

В здоровых отношениях посуду моют не потому, что «так надо», а потому, что жена пришла усталая, муж, не изображая из себя героя, встает и моет. Он ее правда любит и хочет помочь. А если она прилетела и знает, что он сильно занят, то не будет настаивать, чтоб он ее у трапа встречал. Это не проблема, такси возьмет…

Я не призываю расставаться, если партнер «не по-человечески себя ведет». Да пусть ведет себя как угодно, лишь бы вам нравилось. Но если вам в отношениях периодически плохо, вас что-то напрягает, нервирует, если партнер вами пренебрегает, обижает вас, демонстрирует неуважение — это, безусловно, повод сказать: «Дорогой, я тебя очень люблю, но видеться мы больше не будем».

Тот, кто психически здоров, ориентируется на свои чувства и всегда выбирает себя. Ни красота, ни любовь НЕ ТРЕБУЮТ ЖЕРТВ. А если требуют, это точно не ваша история. Валите. Нет такой цели, ради которой стоит что-то ТЕРПЕТЬ в отношениях.

Когда еще все только завязывается, сразу же, как появляется хотя бы легкий дискомфорт, немедленно проясняйте ситуацию. Не пытайтесь оттянуть момент, не задавайте себе лишних вопросов: «Может, я неправильно поняла?», «Может, он что-то другое имел в виду?».

Не тяните, чем дальше — тем сложнее порвать. А если дискомфорт появился однажды, он появится снова, потом опять, конфликт неизбежен, и на поздних стадиях развития отношений (переспали, встречаетесь, живете, поженились, родили детей) он причинит большую боль. Это как когда бутылку открыли, потом разлили, потом выпили по первой — остановиться уже почти невозможно.

«Я правильно поняла, что ты отменяешь нашу встречу? Да? До свидания».

Без выяснений — «Почему ты так со мной поступаешь?», «Да как ты мог?»; без жалоб — «Я тебя ждала, я на тебя надеялась, я для тебя все, а ты!», без обвинений — «Урод, негодяй, подонок, ты ногтя моего не стоишь»… Ни в коем случае! — слышите? — не выясняйте, не жалуйтесь, не обвиняйте.

Правильная формулировка: «МНЕ НЕ НРАВИТСЯ, что ты так поступаешь».

Первое предупреждение должно быть и последним.

Никаких «я же просила!», «мы же договаривались».

Потребность в отношениях у невротика гораздо выше, чем у здорового человека. Опять-таки потому, что у маленького ребенка нет никого, кроме родителей, и все его эмоции зависят только от них. И если отношения в семье были плохие, то жизнь шла наперекосяк. Так и тянется... У здорового не бывает, что, если отношения заканчиваются, вся жизнь прямо полностью теряет смысл. Находятся и другие дела. Отношения занимают свое место в его иерархии ценностей, но не обязательно первое.

Вы не обижаетесь, вы уходите

Выйти из отношений намного легче, если вы осознаете, что на самом деле вам все это не нравится и не нужно, что у вас не любовь, где важен сам человек, а зависимость от эмоций. Причем эмоций болезненных.

Дальше стоило бы начать работать над тем, чтобы избавиться — не от человека, не от любви, а от зависимости и от своей склонности в нее впадать. Выяснить причины, разобраться, что там у вас с детством и родителями, психотравмами и прочим. Чтобы прийти к таким результатам, как: любовь к себе, хорошие отношения с собой, умение проводить с собой время и самодостаточность, которая и есть свобода.

Обзаведясь всеми этими качествами, вы обязательно притянете такого же достойного, независимого человека, который завязывает отношения не из страха одиночества и не из подозрения, что он больше никому не нужен, а потому, что ему с вами будет интересно и хорошо.

Про замуж

*Но, возможно, будет лучше, леди, оглядеться вокруг в поисках подходящего способного молодого человека, неважно кого — дворянина или нет, но, если он подходящий, цепляйтесь за него, поддерживайте, помогайте ему, когда ему трудно, но, главное, будьте рядом, когда он в вас нуждается, и убедитесь, что он всегда под рукой, когда он нужен вам. Если вы будете держаться с ним спина к спине, то из этого обязательно выйдет что-то стоящее. Однажды это определенно сработало ранее, верно, Сибилла?**

Терри Пратчетт. Дело табак

Да, в России мужчин меньше, чем женщин. Объективно меньше — по переписи, но еще меньше по факту. А те, что есть, избалованные, капризные и либо трезвые где-то сидят (предположительно на работе), либо пьяные где-то лежат.

Но ведь при этом кто-то выходит замуж! Я бы даже сказал, что это одни и те же женщины, на которых женятся по многу раз, независимо от всей остальной статистики.

Так в чем ваша проблема?

* Перевод В. Сергеевой.

ТЕКСТ ДЛЯ ТЕХ, КТО ХОЧЕТ ИЛИ ДУМАЕТ, ЧТО ХОЧЕТ ЗАМУЖ

(ОБ ОСТАЛЬНЫХ ПОГОВОРИМ ОТДЕЛЬНО)

1. Вы хотите замуж только умозрительно

То есть головой хотите, а психологически пока не готовы либо в принципе боитесь брака. Нет у вас ни настоящей потребности в семье, ни внутренней готовности ее создать. Погулять, потусоваться, сексом заняться вы не против, а дальше не продвигается.

Возможно, вы выросли, мягко говоря, в своеобразной семье — неблагополучной, нездоровой. И воспоминания об отношениях родителей не располагают к образованию новой ячейки общества и не оставляют надежд на гармонию в браке.

Скорее всего, вы даже себе не признаетесь, что не готовы к серьезным отношениям, а формулируете по-другому: «Мне никто не нравится. Не могу же я встречаться с теми, кто не нравится!» С сексом та же фигня: «Секс без любви — это отвратительно. А так как я никого не люблю…» Ну, понятно.

Кстати, и мужчины, такие же не готовые к настоящей близости, любят порассказать, что девки попадаются какие-то не цепляющие — у одной палец на ноге кривой, у другой запах кислый, у третьей глаз косит… Это самое настоящее избегание и страх перед отношениями.

Когда человек не готов ни к браку, ни к отношениям, он подсознательно выбирает партнеров, с которыми невозможно их построить.

2. Замужество для вас — способ решить проблемы

Женщин, высматривающих, на кого бы скинуть «груз мучительных забот», мужчины вычисляют сразу (и избегают — сознательно и подсознательно: кому ж приятно быть использованным?): у таких на лбу написаны сразу все их неслабые психологические и бытовые проблемы. И когда девушка еще только открывает рот, мужчина понимает, что от него уже чего-то хотят и даже напряженно ждут…

В здоровой ситуации человек хочет не тупо замуж, а мечтает встретить, полюбить, быть вместе с любимым человеком, завести с ним детей… А когда привлекательна идея брака как такового и целью является, например, «стильная свадьба» и платье с фатой — это заведомо провальная история.

3. У вас роман с женатым мужчиной

«Если вы хотите познакомиться с человеком, который любит играть в кегли, надо идти в кегельбан, а если вы хотите встретиться с духовно богатой, эмоциональной, привлекательной и умной личностью, то в кегельбане вам делать нечего», — написал Дейв Барри в книжке «Супружество и/или секс». Или, если проще, — если вам нужно мясо, вы не ищете его в рыбном отделе. А если мечтаете о семье — то не встречаетесь с женатым.

Влюбиться в женатого имеете полное право, и он имеет право ответить вам взаимностью. Дальше возможны варианты. Вариант А: здоровая женщина выбирает себя (а она всегда выбирает себя) и говорит женатому: «Я тебя очень люблю и хочу прожить с тобой всю жизнь. Когда разведешься — позвони мне». И обрывает связь.

Вариант Б: невротичка выбирает отношения и периодически говорит женатому: «Ну ты же обещал». А он ей говорит: «Ты должна понять, как мне трудно» и «Еще не время, товарищ»... Она ведет себя как жертва, все это тянется-тянется и к браку не приводит. Но ей же главное, чтобы у нее были какие-никакие отношения, выяснения, ругания, страдания и примирения! У нее психика так настроена.

Обычно это опять-таки связано с детством: если девочка то и дело скучала по родителям, нуждалась и не получала (или получала недостаточно) любви и внимания, повзрослев, она начинает придавать отношениям, любви, романам преувеличенное значение. Зависимые от отношений люди вырастают из детей, которые были гипертрофированно и болезненно эмоционально зависимы от своих родителей. Они живут с одним только желанием иметь отношения, потому что если отношений у них нет — они как будто и не живут. Это ловушка.

4. Вы продолжаете состоять в предыдущих отношениях у себя в голове (синдром неоконченных отношений)

Даже после развода или расставания ведете напряженные внутренние диалоги, например формулируете, что еще могли сказать в той ссоре. И всех сравниваете с предыдущим…

Если с вами такое происходит (человека нет, а отношения как бы есть) — или дождитесь, пока само отпустит, или идите к психологу.

Есть только одно условие того, что вы будете всю жизнь любить одного человека, жить с этим человеком, заниматься с ним сексом, проводить время и ходить в старости за ручку вдоль пляжа. Это условие — стабильная, понятная, предсказуемая, прозрачная психика.

Спроси вас сейчас «Вы любили когда-нибудь?», и вы ответите: «Конечно!» И будете мерить любовь уровнем страдания. А здоровые отношения измеряются уровнем счастья.

У женщин, которые не умеют сами себя обеспечивать, большие проблемы с зависимостью от тех, кто их содержит. Как в дикой природе, так и в жизни — тот, кто здоров, всегда найдет способ прокормиться. Возможностей вокруг — масса. И если у вас не получается заработать, то совершенно точно дело не в отсутствии вариантов, а в ваших личных психологических проблемах.

— **ЕСЛИ ВЫ ХОТИТЕ ЗАМУЖ**, надо так и говорить мужчине, но только не при первой встрече.

— **ЕСЛИ ВЫ ХОТИТЕ ЗАМУЖ**, встречаетесь или даже живете вместе уже полгода-год и ничего не происходит, надо попробовать самой сделать предложение. Если мужчина не готов создавать семью — значит пришла пора с ним попрощаться. По-хорошему, конечно. Типа: «Я очень тепло к тебе отношусь и буду продолжать в том же духе, но подальше от тебя».

— **ЕСЛИ ВЫ ХОТИТЕ ЗАМУЖ**, первое, что вам надо сделать, — выкинуть эту идею из головы. Хотя бы временно. У людей получается то, что они мысленно обесценивают.

...

— «Я ему сделаю предложение, а он меня всю жизнь будет попрекать!»

…

— Есть такое выражение: «Победителей не судят». И потом вы же не просто говорите, что хотите замуж. Вы говорите, что любите этого человека и хотите провести с ним всю оставшуюся жизнь! Разве за такое можно попрекать? Мы не можем ошибаться по поводу партнера, мы можем ошибаться по поводу себя.

Действительно ли мы такие плохие, какими себя ощущаем? Конечно, нет! Почему же нас преследует чувство вины? Потому что осознанно или нет наши родители, жены-мужья, начальники и даже дети внушают нам это чувство. И нами сразу становится удобнее манипулировать.

. . .

— В выборе партнера ошибиться нельзя. Потому что жизнь дает не то, что вы хотите головой, а то, что вам в данный момент нужно. Нравится вам это или нет — другой разговор. Но на тот момент, когда это происходит, ошибкой оно быть не может. Вы же знаете, что вам нужно и зачем. Да, вы потом можете передумать. Но это потом.

...

— Например, живет мужчина в Петрозаводске и ждет вас летом, а вы его — на новогодние праздники. Не теряйте время: если бы между вами что-то было, вы бы уже давно жили вместе. Не утешайте себя пустыми словами: так сложились обстоятельства, по-другому пока никак. Обычно это история о том, что человеку не нужны реальные отношения, а просто приятно создать и поддерживать иллюзию, что они есть. У себя и партнера по переписке.

...

— Распространенная ситуация, когда ссора перерастает в бурный секс, — нездоровая. Не увлекайтесь… Такие отношения заканчиваются последним конфликтом, но уже без секса. Если ссоры — постоянная составляющая вашей жизни, однажды унижения, обиды, гнев и прочий негатив уже невозможно будет преодолеть. Конфликт останется, а секс закончится навсегда…

...

— В здоровой ситуации человек хочет жить вместе с любимым. И точка. Тут не «кому как нравится», а именно так. Любите? Значит, живете вместе! Все остальное — нездоровые, невротические отношения. Если вам говорят что-то другое: про «не готов», про гостевой или экстерриториальный брак — не ведитесь... Если вы сами боитесь совместной жизни, то хотя бы отдавайте себе отчет в том, что это невроз.

…

— Если отношения не приносят радости, если после каждого свидания остается ощущение неопределенности и вы живете в страхе, что все может оборваться в любой момент, — значит… Значит, вам все это нравится. Подсознательно, конечно.

...

— Некоторые рассматривают выбор партнера как способ решить свои проблемы. Материальные, психологические, жилищные, репродуктивные… Это одна из самых распространенных (и роковых) ошибок. Здоровыми могут быть только честные партнерские отношения. Жизнеспособными могут быть только те отношения, цель которых проста — быть вместе. Так что, если мечтаете о прочном браке, любви, дружбе — сначала придется разобраться с собой и своими «тараканами».

Про семейную терапию

Некоторое время мы решали, что делать: поехать на Багамские острова или развестись. И решили, что Багамы — удовольствие всего лишь на две недели, а развод — это вечная ценность.

Вуди Аллен

«Семейная терапия» — одна из специальностей, записанных в моем дипломе. Семейную терапию я практиковал долгие годы. Это когда на прием приходят два члена семьи одновременно. С помощью психолога они выясняют отношения и приходят к соглашению. Как в фильме «Мистер и миссис Смит». Сравнительно недавно я понял, что это не работает. И больше этим не занимаюсь. Объясняю почему.

Случай с Анной О. (имена изменены)

Пришла после травмы, нанесенной мужем, причем такой, какие УК РФ относит к тяжким телесным повреждениям, которые и нанес ей второй муж. Первый сломал ей руку прямо на свадьбе. В процессе беседы выясняется, что она из семьи алкоголиков, где отец вел себя точно так же. Поэтому пьянство, скандалы и рукоприкладство для нее — нормальные составляющие семейной жизни. Она не понимает, что сама подсознательно тянется к таким мужчинам. И даже больше — она мужем в общем-то довольна. Рассказывает, что, когда трезвый, он «очень хороший, и с детьми проводит время, и по хозяйству помогает». Просто «в таком состоянии он себя контролировать не в состоянии».

Как вы видите семейную психотерапию в такой паре? Я уверен, что работать можно только с женой.

Или случай с Катей З. Муж большую часть времени отсутствует, ездит по командировкам, детьми не занимается, по дому не помогает и даже в отпуск ездит без семьи. Был замечен в изменах. Чем она заканчивает рассказ о нем? «Я же люблю его! Что сделать, чтобы у нас была нормальная семья?»

Правильный ответ: «Поменять мужа».

Однако семейный психолог такого сказать не может. Он будет предлагать привести на консультацию супруга. Но даже моя буйная фантазия не видит вариантов и формулировок, после которых он вдруг станет примерным семьянином. 80 из 100, что он вообще не пойдет к психологу. Ему ситуация ничем не грозит — жена его любит при любом раскладе.

Не дело психолога давать советы и спрашивать женщину: «Как вы живете с таким чудовищем?» Но психолог может разобраться, ПОЧЕМУ она живет, не получая радости от жизни и уверенно считая, что причина всех ее несчастий — в муже и его нехорошем поведении. Психолог может избавить женщину от невроза, который заставляет ее находиться в подобном положении, страдать, рыдать, ничего не менять и год за годом чувствовать себя ужасно.

Тут можно решить, что муж Кати — типичная сволочь и редкий подонок, живущий в свое удовольствие. НО самое интересное, что муж в такой паре тоже невротик и тоже очень несчастен. Он не любит жену, считает себя великомучеником, который живет с тупой уродкой и живет только потому, что высокие понятия о долге и чести мешают ему «бросить семью». И только чтобы как-то существовать в этом беспросвете, ему пришлось завести любовницу. А чтобы поменьше бывать в постылом доме — он вынужден ездить в командировки. И, конечно же, он считает себя героем — тащит все на себе, по-своему любит детей, но его бесит, как мать их воспитывает, а конфликтовать не хочется, поэтому он ими просто не занимается. Хочет сохранить семью, но жить в ней не хочет. «А ведь я мог быть счастлив», — говорит он себе (или любовнице). Типа мог бы, но принес себя в жертву своей «порядочности».

Все это, конечно, невротический бред и полное фуфло, но, во-первых, во время семейной консультации он всего этого не расскажет. А во-вторых, если такой человек придет к психологу, то не для того, чтобы сохранить семью, а от безысходности, жизненного тупика… И снова надо разбираться тет-а-тет.

В 1990-е я работал в единственной в стране государственной Московской семейной консультации.

Давайте расскажу, как выглядел прием.

Заходят двое — муж и жена.

Обычно мужчина уступает кресло жене, а сам садится на стул. Я спрашиваю:

— Кто начнет?

Они мнутся и молчат.

Тогда я говорю:

— А кто был инициатором визита? Пусть тот и начинает разговор.

В большинстве случаев инициатором похода к психологу выступает женщина, она и начинает рассказ о проблемах в семье. Про то, что муж ее не понимает, не уделяет ей внимания, не считается с ее мнением, не слушает, когда она что-то говорит, а сам вступает в разговор с ней редко и только по делу…

Следом приходит черед мужа, и он рассказывает, что, на минуточку, работает на двух работах, очень устает, но тем не менее, если жена говорит, что ей нужно новое пальто, — он покупает ей новое пальто, а если она хочет поехать с детьми на море — он оплачивает поездку. И все это не так легко дается. И ему хочется уважения в собственном доме и понимания, как много он делает для семьи. И еще, говорит он, жена, между прочим, совершенно не интересуется его проблемами на работе и знать не знает, «откуда я вообще деньги беру», зато постоянно упрекает по всяким мелким поводам, типа: «хоть бы тарелку за собой помыл», «хоть бы раз с ребенком погулял»...

Не буду утомлять множеством похожих историй, которые и заканчивались приблизительно одинаково.

Жена: Он же не один живет! Ему что, трудно сиденье унитаза после себя опустить?

Я: Вам же не трудно? Давайте договоримся, что вы постараетесь опускать за собой сиденье унитаза?

Муж: Конечно! Я буду следить за собой, ведь жену я люблю и не хочу огорчать ее. Но она ведь догадывается, что я пи́саю стоя, и могла бы поднимать сиденье после себя.

Жена: Я тоже постараюсь и буду поднимать за собой сиденье хотя бы иногда.

Вот вы верите, что после такого разговора в такой семье может что-то серьезно поменяться? Я после 30 лет работы — знаю, что не может.

Только один вид семейной терапии я считаю действительно полезным — посредничество психолога при разводе. Но именно его в России не практикуют.

В 1991 году в Иерусалиме я поступил на трехлетнее обучение в Family Mediation Service. И три года, кроме собственно семейной терапии, изучал юридическую сторону развода, постигал западные образцы цивилизованного расставания супругов, причем в двух вариантах: религиозном и светском. Ведь часть израильтян разводится в раввинском суде, часть — в гражданском. И оба права надо хорошо знать для того, чтобы во время переговоров подробно рассказать об обязательствах, правах и возможностях каждой из сторон. И сделать это должен именно ты, а не адвокат, так как адвокат — человек, которого нанимает одна сторона ПРОТИВ другой. И это уже совсем другой уровень переговоров.

Нюансов множество. Обсуждается раздел имущества; с кем остаются дети; режим общения с ребенком родителя, который будет жить отдельно; его участие в оплате нужд ребенка, помимо алиментов т. д. Предметом переговоров является оплата лечения, образования и отдыха ребенка, так называемые «непредсказуемые нужды» и масса деталей: от «если мама снова выйдет замуж (отец женится), то…», «если мама (отец) захотят эмигрировать, то…» и прочее.

Задача семейного посредника состояла в том, чтобы супруги договорились обо всем мирно и чтобы ДО СУДА дело не дошло. И не было случая, чтобы переговоры, которые я вел в этой службе, не заканчивались «мировым соглашением».

Надо понимать, что в кабинет посредника приходят люди, буквально ненавидящие друг друга. Развод — это же не просто так, ему предшествуют ссоры, затяжные конфликты, скандалы, измены, много чего еще… Но у пары есть дети, и дети любят обоих родителей. И нужно минимизировать травму, сделать так, чтобы после развода мужчина и женщина, мать и отец могли спокойно взаимодействовать друг с другом и нормально общаться с ребенком (ведь даже в 50 лет, если твои родители не разговаривают — для тебя это трагедия; масса комплексов прилагается). Чтобы после развода родителей у него была нормальная семья, где мама и папа просто живут отдельно. Как показывает практика, это вполне достижимо.

И вот в такой семейной терапии — а это тоже терапия — я видел высокий смысл. Видел результат.

А после переговоров про сиденье унитаза — нет. И я в них больше не верю. Муж не опускает сиденье унитаза не потому, что забывает, и не потому, что уверен — его миссия зарабатывать деньги, а унитаз — дело десятое… Нет же! Просто его не устраивает его жена. А делая назло, он выражает свою агрессию. И так как конфликтная психология очень характерна для наших людей, то конфликты в семье неизбежны.

Такие отношения между супругами — отношения двух невротиков. Изменить эти отношения, не меняя людей, не-воз-мож-но.

Сталкиваясь с подобными случаями сейчас, я перехожу к другой терапии, в которой мы не разбираем претензии и чувства к партнеру по браку. Мы их почти не касаемся. Знаете почему? **Потому что любой конфликт и любая проблема межличностных отношений — это всегда проекция отношения человека к себе и своей жизни. Низкая самооценка, неприятие себя, неудовлетворенность собой, ЛЮБЫЕ внутренние конфликты человек естественным образом транслирует на того, с кем живет.**

Я предлагаю не ходить к психологу парами, а работать самостоятельно.

Если терапия проходит успешно, то у людей в паре начинается мирная жизнь. Либо здоровому партнеру, которому удалось избавиться от невроза, становятся неинтересны невротические отношения.

Не буду скрывать, что, отработав с психологом, ощутив наконец, что такое внутренняя гармония, радость жизни, удовольствие от каждого прожитого дня, многие вскоре разводятся. Им становится сложно находиться в (привычной ранее) ситуации постоянного напряжения, выяснения отношений, агрессии. А различного рода манипуляции со стороны партнера их больше не цепляют.

Поэтому вернуть хорошие отношения, здоровую атмосферу в семье реально только в том случае, если не оба вместе, а каждый по отдельности займется наведением порядка в своей голове.

НО, К СОЖАЛЕНИЮ, в подавляющем большинстве случаев слышишь:

— А у меня и так все в порядке! Это вот он (она) псих ненормальный!

В этот момент хочется спросить: «Если ты такая здоровая, то как же ты в браке с больным человеком троих детей родила и 20 лет совместной жизни оттарабанила?»

В садомазоварианте семьи жалуется и недовольна только жертва, у «садистов»-то все в порядке, как они считают. А пострадавшая сторона уверена, что стала жертвой и заложником маньяка (маньячки) и по разным причинам «вынуждена все это терпеть». Так вот, имейте в виду: **единственное время в жизни человека, когда он объективно зависим и когда его можно считать заложником, — это детство и зависимость от родителей. Длится это сравнительно недолго.**

В остальных случаях пребывание в любых отношениях есть выбор взрослого человека. Сознательный или не очень — другой вопрос. И им-то и надо заниматься.

Когда я слышу рассказы, что живем вместе «только из-за детей», «нет денег, чтобы разъехаться», «негде жить», я понимаю, что правды люди не говорят или не знают. А правда в том, что если человеку самому не нужны переживания, эмоции, которые поставляет ему партнер, то он очень быстро выходит, выбегает, выскакивает из отношений! Раз остается, значит, он этими эмоциями питается, значит, среди упреков и агрессии, пассивной и активной, он чувствует себя как в привычном болоте, барахтается в нем и на берег его не тянет. Он вообще не умеет жить без постоянного раздражителя.

Во время индивидуальной работы психолог выясняет, почему так происходит. И тогда человек видит, понимает, осознает, что он невротик, по тем или иным причинам (да, кроющимся в его детстве) испытывающий необходимость в негативных переживаниях, слезах, страстях и обязательно — в жалости к себе. И что он только потому не прерывает отношений, что они дают ему весь этот вампирский набор плюс-минус побои и он привычно несчастлив. И вот тогда с человеком уже можно работать и решать его проблемы.

Наедине.

— Можно, конечно, выбирать партнера рационально. Типа надежный, не раздражает, тоже хочет детей… Но мне это напоминает тест в интернете «Какую собаку лучше завести в зависимости от вашего темперамента?». Охотничью или комнатную? Будете вы с ней гулять три раза в день по 45 минут или пусть писает в лоточек? Можно! Но только в том случае, если в отношениях вам не нужны эмоции. Бывает и так.

Я же уверен, что основой отношений, а тем более брака, конечно, должна быть любовь.

— Невротик всегда ищет кого-то, в ком можно разместить свою огромную обиду на жизнь. Они зависимы не от партнера, а от возможности обижаться на него. Потому что если разместить обиду в себе — она превратится в депрессию.

— Если женщина в браке или отношениях ведет себя как жертва, ей же просто грех не изменить! В случае чего она, конечно, всплакнет, выскажется в стиле: «козел», «загубил мою молодость», уйдет к маме для приличия… Но потом ведь вернется. И все продолжится. И мужчина это знает.

Здоровая ситуация — это полная уверенность, что раз изменил, жену он больше не увидит. По крайней мере на своей кухне и в своей постели.

— В выборе партнера ошибиться нельзя. Потому что жизнь дает не то, что вы хотите головой, а то, что вам в данный момент нужно. Нравится вам это или нет — другой разговор. Но на тот момент, когда это происходит, ошибкой оно быть не может. Вы же знаете, что вам нужно и зачем. Да, потом вы можете передумать. Но это потом. А здесь и сейчас мы не можем ошибиться по поводу партнера, мы можем ошибаться только по поводу себя.

— «Какие мужчины (женщины) вам нравятся?» — спрашиваю я. И слышу примерно одно и то же: про мужественность-женственность, доброту-надежность, красивые глаза и красивые ноги.

И тут же выясняется, что реальные партнеры этих людей совершенно не похожи на идеал. Не потому, что идеала не существует, а потому, что выбор спутника жизни — процесс бессознательный. Через 5–7 секунд после знакомства вы уже знаете, хотите вы этого человека или нет.

А встретив доброго с красивыми глазами и ногами, вы легко его игнорируете. И влюбляетесь, наоборот, в агрессивное чудовище, склонное к пьянству (вариант: в инфантильного зайчика, склонного к шопоголизму и эгоизму).

— «Он какой-то нудный...» — говорит женщина-невротик о том, кто пытается о ней позаботиться, помочь нести тяжелую сумку. Ей от отношений нужно совсем другое: напряжение, интрига, чтоб мужчина ее всячески игнорировал, не звонил, может даже оскорблял иногда... Вот тогда да! Тогда же можно поплакать, прождать все выходные у телефона, обсудить с подружками, какой он козел... В общем, интересно провести время.

Зато хороших мужиков такие женщины просто не замечают.

— Если вы хотите замуж, встречаетесь или даже живете вместе уже полгода-год и ничего не происходит, надо попробовать самой сделать предложение. Если мужчина не готов создавать семью — значит, пришла пора с ним попрощаться. По-хорошему, конечно. Типа «Я очень тепло к тебе отношусь и буду продолжать в том же духе, но подальше от тебя».

— Если у вас давно нет мужчины — это значит, что ЛИБО вы продолжаете состоять в предыдущих отношениях (даже после развода или расставания ведете напряженные внутренние диалоги, например формулируете, что еще могли сказать в той ссоре) и всех сравниваете с предыдущим… ЛИБО у вас на лбу написаны все ваши неслабые психологические проблемы. И когда вы открываете рот, мужчина понимает, что от него уже что-то хотят…

— Зависимые от отношений люди вырастают из тех детей, который в силу разных причин были гипертрофированно и болезненно эмоционально зависимы от своих родителей. Такие люди живут с одним только желанием иметь отношения, потому что если у них отношений нет — они и не живут.

— Избавившись от одних партнеров-палачей, многие тут же находят точно таких же либо подобных. Человек все может понимать, а его либидо — нет.

— Фокус не в том, чтобы развестись или расстаться, а чтобы вас перестали сексуально привлекать те, кто вас мучит, изводит неважно чем — побоями или невниманием.

Де

ТИ

Про маминых «тараканов»

— Сынок, иди домой!
— Мама, я замерз?
— Нет, ты хочешь кушать!

Классификация психологических проблем детей в зависимости от «тараканов» в голове матери

Как показывают 20 лет радио- и телеэфиров, а также чтения публичных лекций, в России дети не считаются особой ценностью и говорить о них народ не любит. Вот «про влечение», «про отношения», «про замуж», «про чувство вины» — сколько угодно, в зале аншлаг, если лекция, и море звонков, если прямой эфир. А объявишь тему «Дети» — ползала и тишина. Раз за разом. У этого явления есть причины и следствия, как частного порядка, так и национального масштаба.

Тешу себя надеждой, что мне удастся предупредить несчастья хотя бы одного ребенка, если я расскажу о проблемах, заложенных уже обстоятельствами его зачатия и рождения. Это такие бомбы замедленного действия, которые обязательно взрываются. Ведь существует прямая связь между «тараканами» в голове матери и психологическими проблемами детей, взрослых и целой страны.

Начнем с предпосылок, на которых часто базируется решение завести ребенка. Скажу сразу, что **единственная здоровая причина рожать детей — это хотеть иметь детей.**

И женщины, которые хотят детей, обычно детьми обзаводятся. При любом жизненном раскладе.

Но, как известно, некоторые даже думать не могут о том, чтобы продолжить род человеческий. Принадлежность к childfree — не каприз и эгоизм. Обычно это связано с собственным тяжелым детством, несчастливыми воспоминаниями, психотравмами. В общем, повод для отдельного разговора.

Однако есть **особы, которые родить в принципе готовы, но так, чтобы исключительно в браке** (и лучше в швейцарской клинике). А если никак не могут в него вступить, так без детей и остаются. Типа «не сложилось». Я предполагаю, что причина в лучшем случае — в страхе ответственности. А в худшем — ребенка они не хотят, но работать не хотят еще больше. И с помощью замужества и последующего деторождения надеются навсегда решить эту проблему. То есть материнство рассматривается и как подвиг, и как работа, за которую муж ей пожизненно должен.

Обычно такие женщины рассказывают, что не хотят плодить нищету и безотцовщину, что дите заслуживает всего самого лучшего, ну и главное — «у ребенка должен быть отец», полная семья, а иначе катастрофа! Возможно, они даже верят во все в это. Тем временем в неполных семьях растут 54% детей России и Европы, и я уверен, что опасность этого дела для психики сильно преувеличена. Вот нелюбовь и все виды насилия в семье — другое дело. А еще у меня есть знакомая женщина Люба. Она инвалид, но родила троих детей и растит их вместе с мужем... Да и без мужа растила бы. Как известно, когда человек хочет, он ищет возможности, а когда не хочет — ищет причины.

Другой **распространенный вариант — «потому что так положено»:** к детям женщина ничего особенного не чувствует, но биологические часы тикают, и гинеколог говорит, что еще год-два и организм сдастся, да и всяческие риски у старородящих гораздо выше. То есть к ребенку она относится умозрительно, он как бы дополняет представление о том, что именно и в какой последовательности должно появляться, чтобы можно было считать жизнь полноценной, а себя — состоявшейся. Это жесткий тип «все сама-сама-сама», про который Виктория Токарева сказала, что таким женщинам надо идти на мехмат или во вневедомственную охрану… Для них главная причина завести ребенка — страх одиночества и история про стакан воды на смертном одре.

Следующий **тяжелый случай — ребенок «на память»**. Это когда женщина рассуждает примерно так: «Хрен бы с ними, с детьми, но я так люблю своего Петю! А он столь трагически женат! И нам не суждено быть вместе, так что рожу-ка я от него ребеночка, и мимими, чтоб глазки у него были, как у папы… А там, чем черт не шутит, может, он даже от жены уйдет?» Таким мне всегда хочется сказать: «Мадам, малыш — не сувенир! Лучше татуировку сделайте с портретом своего Пети».

И последнее: вот она не хотела ребенка, тем более ничего не планировала, и нá тебе — **беременность по залету**. Тут последствия непредсказуемы. В процессе психофизиологической перестройки организма в ком-то просыпаются материнские чувства, а кто-то донашивает плод и оставляет в роддоме. Впрочем, для ребенка поведение родителей — это всегда лотерея.

Теперь о последствиях.

Дамы, уверенные, что ребенок — это их большое одолжение и подарок мужу, самого ребенка воспринимают как проблему, которую надо решать. Они с детьми не общаются — они «занимаются уходом и воспитанием». Гардероб, кружкѝ, школа, чтоб все как у людей. И занимаются они всем этим с избыточным усилием и усердием, чрезмерно контролируют, опекают детей, но не от большой любви. Об удовольствии от процесса речи вообще не идет. Как вариант — перекладывают большую часть забот на няню и при любой возможности сваливают из дому.

Конечно, ребенок при этом чувствует себя инструментом для манипуляций и обузой, да от него этого никто особенно не скрывает. Он так и будет идти по жизни, ощущая свою ненужность, считая, что он всем в тягость, не находя своего места в мире, не подозревая, что его можно любить просто так.

Старородящие, в конце концов родив, ведут себя как законченные невротики. Мысль о том, что ее ребенок — это отдельная самостоятельная личность и этой личности надо дать возможность дышать хотя бы иногда, кажется им выдумкой новомодных психологов. Это же ЕЕ СОБСТВЕННЫЙ ребенок! Такие матери требуют внимания к себе, не отпускают от своей юбки, но не потому, что боятся ЗА ребенка, а потому, что боятся за себя, так как во главе угла этих отношений страх перед старостью, одиночеством и смертью. «Он — это всё, что у меня есть!»

Если 15-летний сын приходит не в 10 вечера, а в 11, он обязательно слышит, что мать обзвонила все морги и сама уже готовится умереть, накапайте ей валокордину. Собственно, вся жизнь ребенка — это как бы подготовка к маминым похоронам, в процессе которой он слышит, что мама «посвятила ему лучшие годы», «а могла бы», но «поставила на себе крест», хотя «такой мужик замуж звал!», «а ты неблагодарный» и прочее, такое же безумное. В кого вырастает такой подопытный? В крайне несамостоятельного, неуверенного в себе инфантила, полного чувства вины перед матерью и каждым встречным.

Романтические девушки, рожающие «на память» о любимом, частенько потом не знают, как бы забыть того мужчину, имея перед глазами столь яркое напоминание. Память уходит, а ребенок остается и раздражает, особенно когда-то желанной похожестью на отца с его бесстыжими глазками. Появляется уже и новый партнер, муж, любовник, а тут под ногами болтается «сувенир» от прошлого неудачного романа. Происходит классический перенос, и такие дети слышат в свой адрес, что они такие же дебилы, как отец, так же неаккуратно жрут, как отец, так же тупят и так же не умеют одеваться (импровизировать можно долго). Результат — здравствуй, неприкаянность и опять же чувство вины.

К чему я это все? К тому вроде очевидному выводу, что РЕБЕНОК НЕ МОЖЕТ БЫТЬ НИ СРЕДСТВОМ, НИ ИНСТРУМЕНТОМ, НИ СПОСОБОМ РЕШИТЬ ВАШИ ПРОБЛЕМЫ! Сначала их надо решить и только потом обзаводиться детьми. И рожать, только когда вы этого действительно сильно хотите. Потому что ребенок — это для счастья. Но только в том случае, если счастлива сама мать.

Но, к сожалению, обычно у нас все наоборот. Как вы думаете, откуда в наших людях такая готовность подчиняться, унижаться, смиряться, терпеть лишения? Из семьи, конечно. Оттуда же убеждение, что их мнение ничего не значит и никого не интересует. Для нас в этом нет ничего нового, ведь в детстве мы все это проходили. Как и наши родители…

Мы — общество несвободных людей, для которых несчастье и общая подавленность — норма жизни. В России даже боятся, когда хорошо. Есть такая общенациональная идея, что «за хорошо» придется платить. А тревога по поводу того, что платить придется уже скоро, — это общенациональная эмоция. Все так и хотят заморочиться прямо во время оргазма!

Так давайте разорвем этот порочный круг, прервем цепочку нелюбви и несвободы, начинающуюся прямо в утробе матери. Никогда не поздно это сделать.

Теперь поговорим, что происходит, когда дети уже есть, а проблемы родителей никуда не делись. Они обязательно проявляются, усугубляются и так или иначе рикошетят о ребенка.

А он даже не понимает, что не виноват. И вырастает с покореженной психикой.

Некоторые думают: «Да, у меня есть свои заморочки, но я не позволю им отразиться на малыше! Я читаю много красивых книжек о воспитании, психологии, раннем развитии и буду все делать правильно»... Милые мои! **НЕВОЗМОЖНО! Невозможно изменить свое поведение, не избавившись от неврозов и комплексов. Нельзя побороть себя, нельзя заставить себя делать это и не делать того, реагировать так, а не эдак, если внутри вас застарелая психологическая проблема.** Невротики не в состоянии контролировать накатывающие на них эмоции: гнев, обиду, разочарование, тревогу, страх — и обязательно переносят их на того, кто все время рядом и полностью от них зависит, — на своего ребенка. И делают невротика уже из него. Да, не специально, но от этого не легче.

Теперь про норму. Психически здоровый родитель счастлив проводить время со своим чадом. Он не зацикливается на его еде, одежде, учебе и не столько занимается уходом, сколько общается, строит отношения, разговаривает обо всем на свете, с удовольствием наблюдая, как растет и формируется новая личность... Он уважает индивидуальность в своем ребенке, потому что и сам является личностью с большим кругом интересов. И у такого родителя ребенок не заболеет, если промочил ноги или не съел «горячее», от таких родителей не скрывают двоек, их знакомят с друзьями и подругами, с ними дети делятся проблемами и радостями. Но, к сожалению, здоровые отношения не являются темой нашего разговора. Мы — о нездоровых.

Начнем традиционно, с мам. В зависимости от того, что происходило в их собственном детстве, и прочих индивидуальных особенностей получаются такие, к примеру, проблемные типы:

1. Агрессивная мать.
2. Депрессивная мать.
3. Тревожная мать.
4. Контролирующая мать.
5. Опекающая мать.

Если вам кажется, что вы и есть все эти типы вместе взятые, то вы ошибаетесь. (Это далеко не все разновидности, но описывать все и книги не хватит.) Но что-то все равно доминирует. Выбирайте.

1. Агрессивная мать и специально, и ненамеренно пугает ребенка самыми разными способами: шлепает, бьет ремнем, может и по морде заехать, конечно, орет страшным голосом, закатывает истерики с битьем посуды и порчей другого имущества и причинением ущерба себе и окружающим.

Характерные выражения:
«Сколько можно говорить?»
«Если ты еще раз…»
«Ты у меня сейчас дождешься!»
«Ты чё, тупой?»
«Ты чё, больной?»
«Мое терпение кончилось».

Результат: дети вырастают либо в таких же агрессоров, либо в трусов (и то и другое — от страха). Они подавлены, не принимают и не любят себя, причем сильно. Если мать мальчика совсем уж перегнула палку, то он навсегда теряет доверие к женщинам, а то и вовсе становится геем.

2. Депрессивная мать — это апатия, постоянная усталость от ребенка и как следствие полнейшее нежелание и невозможность нормально с ним общаться. Часто это проявление послеродовой депрессии. Мать хочет заняться собой, прилечь отдохнуть, а то и вообще целый день не может с кровати встать. Женщина чувствует себя запертой в этой ситуации, неподдельно страдает и срывается опять-таки на ребенка.

Характерные выражения:
«Отстань!»
«Иди уже сам поиграй…»
«Видишь, маме плохо?»
«Видишь, у мамы сил нет?»

И мое любимое:

«Ты чего так рано пришел?»

Результат: у ребенка нет самого главного, базового для благополучия фактора — поддержки со стороны матери и чувства безопасности. Такие дети болеют от недостатка тактильного контакта, прикосновений, объятий; повзрослев, постоянно ощущают неуверенность, ненужность и неуместность в этом мире… Склонность к депрессиям тоже наследуется.

3. Тревожная мать. Тревожность в данном случае — одна из самых серьезных проблем и по последствиям, возможно, даже страшнее, чем агрессия. Но уж точно не легче. Это мать, которая стоит или лежит в конце ледяной горки, широко раскинув руки, с целью поймать ребенка вместе с санками. У тревожных все в жизни по часам, питание исключительно правильное, здоровое, сбалансированное дальше некуда, а при легком ветерке или простуде ребенок закутан, как в стихотворении

«Это кто накрыт в кровати одеялами на вате?». Такие мамаши — главные пациентки кардиологических клиник, инфаркты и инсульты их преследуют.

Характерные выражения:
«Я боюсь!»
«Мама переживает…»
«Не лезь!»
«Не трожь!»
«Не связывайся!»
«Отойди оттуда!»

Результат: так как ключевые слова в лексиконе матери «Я боюсь», ее страхи безо всякого НЛП ложатся в голову ребенка. Всем своим поведением мать внушает ему, что мир — это сплошная опасность, жить страшно, люди вокруг только и думают, как навредить. Он вырастает запуганным, недоверчивым, неприспособленным, тепличным цветком. А страх перед жизнью — самый большой тормоз для взросления, развития, личностного роста, да собственно, для самой жизни.

4. Контролирующие матери боятся не всего подряд, не-е-е-т — они боятся, как бы что не вышло из-под контроля. И ведь искренне уверены, что контролировать можно ВСЁ. Главное — бдительность! (Что с ними происходит, когда оказывается, что это не так! Полное крушение мировоззрения.)

Свобода ребенка контролирующей матери жестко ограничена, у него нет свободного времени, он гуляет только в тех углах двора, которые видны маме из окна, перед контрольной его будят на сорок минут раньше, чтобы повторить пройденный материал, его дневник изучают с лупой, мама его портфель не проверяет — она собирает его сама!

Характерные выражения:
«Ты куда?»
«Ты зачем?»
«Почему я не знаю?»

Результат: привыкнув, что над ним всегда есть вышестоящее начальство и контроль, ребенок вырастает безынициативным, вяловатым, часто он вообще не может двигаться без «поводка», без ценных указаний, инструкций, ему всю жизнь надо будет «посоветоваться», опереться на чье-то мнение, на чью-то поддержку и силу. Своей у него нет либо она подавлена. «Тревожные» отличники и перфекционисты — оттуда же.

Кстати, чрезмерный контроль и недоверие со стороны родителей также могут стать причиной наркомании у детей.

5. Опекающая мать. Излишняя забота, гиперопека, желание все сделать ЗА ребенка типичны для тех, кто посвящает семье «всю себя». У таких мам нет других интересов и дел — только уход, кормежка, глажка трусов, стирка носков. В ребенке заключен ВЕСЬ смысл жизни. Анекдот в эпиграфе — это про них.

Их малыш никогда не заправлял постель, не мыл посуду (и даже не ставил ее в раковину), не мылся сам до 15 лет, не знает, как выглядит детский лагерь, да и вообще как выглядит мир, если его за руку крепко не держит мама.

Характерные выражения:
«Будешь компотик?»
«Ты сменил маечку?»
«Если с тобой что-то случится, мама этого не перенесет».

Результат: вырастая, гиперопекаемые дети оказываются полностью беспомощными во взрослом мире, они отказываются или не могут покинуть родительское гнездо, не умеют принимать самостоятельные решения, не в состоянии создать семью, потому что как бы остаются детьми и часто так и живут до старости «с мамой».

С папами ситуация такая: где-то 90% российских пап считают, что деньги — это и есть их вклад в семейное строительство, а заодно и воспитание детей. Называется «вырастет, я возьму его на рыбалку». Иногда они спят в кинотеатре, пока дети смотрят мультик. Это все. Время от времени, когда им говорят «иди, разберись», они берут в руки ремень и, как им кажется, «разбираются». Будто охранники в ночном клубе.

И ладно, если мужчина в семье — это такой Кутузов, спящий на военном совете. Хуже, если между мамой и папой появляется напряжение, начинаются разногласия, которые они не могут разрулить и выплескивают на ребенка. Внешне это выражается в том, например, что они громко спорят: закалять сына или одеть потеплее? Отдать на футбол или на скрипку? Пусть доедает или не надо его пичкать?

Даже не сомневайтесь: когда в отношениях родителей гармония и мир — по всем вопросам они сначала договариваются между собой, вместе принимают решения, тогда мир не нарушается и для их детей. В противном случае родители играют в плохого («отец придет, он тебе покажет») и хорошего («ну мама-то у нас добрая, она разрешит») следователей, пытаются манипулировать ребенком, чем раскалывают его мир пополам.

К чему я все это?

Если вы узнали себя в ком-то из перечисленных материнских типов и заинтересованы в благополучии ребенка, то со своими «тараканами» хорошо бы начать разбираться. Примерить все эти ситуации на себя, признать, что это патология, и работать над ней до полного искоренения. Хотя порыдать, почувствовать себя сукой и плохой матерью, посамобичеваться, утереться и продолжить в том же духе — оно, конечно, проще.

Вы поймите: гневливость, склонность к депрессиям, обидчивость, властность и прочее — все это еще не так страшно! Страшно, если вы знаете это за собой, прекрасно осведомлены о последствиях, но ничего при этом не предпринимаете.

Тут еще вот какой подвох: в нашей стране сохраняются черты общинного мышления. Другими словами: главное — что скажут люди? И мать во многом ориентируется на то, как ее сын или дочь выглядят со стороны, одеты ли в чистое, вымыты ли уши? Ей важнее видимость, внешность, а не взаимопонимание, гармония в отношениях с ребенком и его здоровая психика. Эти костюмчики с галстуками, эти платья чуть ли не с кринолинами на трех-пятилетних малышах — это же ужас! Нарядная упаковка! Отсюда же и адские скандалы из-за пятна от мороженого, перепачканных джинсов и дырки на колготках. А что, собственно, страшного во всем этом?

«Правильные» мамы! Ответственно заявляю, что ущерб от ваших истерик по поводу драных кроссовок, немытого яблока или хождения без шапки гораздо серьезнее, чем опасность заболеть от переохлаждения или инфекции… Расслабьтесь же и берегите нервы — свои и детские!

Но чаще всего, смутно осознав проблему (что уже хорошо), человек начинает переживать, обещать себе исправиться и больше так не делать… Ну и обязательно заморачивается чувством вины — куда ж без него? Но, друзья мои, чувство вины — это не любовь. А ребенку нужна именно она, причем в чистом, незамутненном истериками виде. И если вы часто доводите ситуации в семье до крайности, а именно до скандала с последующим бурным примирением, покаянным рыданием, извинениями и объятиями — это невротический кошмар, и больше ничего.

Романтические девушки, рожающие «на память» о любимом, частенько потом не знают, как бы забыть того мужчину, имея перед глазами столь яркое напоминание. Память уходит, а ребенок остается и раздражает, особенно когда-то желанной похожестью на отца с его бесстыжими глазками.

Единственное, что тут можно сделать, — ОТКАЗАТЬСЯ от мысли, что во всем виноваты обстоятельства — муж-придурок, капризный ребенок, свекровь или ваша собственная мама; ПРИЗНАТЬ, что все дело в вас самих, и пойти к специалистам. К психологу — если проблемы у вас поведенческие, и к психиатру, если клинические.

И не надо вот этого вот: «Я что — ненормальная?» Ненормальная, если оставите все как есть и продолжите с энтузиазмом уродовать отпрысков. И достойна уважения, если постараетесь все исправить. Если не ради себя, так ради детей своих.

Про папиных «тараканов»

Ты мне роди,
а я перезвоню!

Владимир Вишневский

И в жизни, и в практике я встречал мало хороших отцов. Мужчинам вообще не свойственно быть хорошими отцами. Это даже немножко противоестественно. Они в принципе подругому устроены! Отцовский инстинкт — это миф. Во всяком случае с ним не рождаются. Отцы любят детей социальной любовью: они привязываются к тем детям, с которыми проводят время, о которых заботятся. Пусть даже вынужденно… По крайней мере поначалу. **Хороший отец — это всегда продукт правильной стратегии поведения женщины. Выйти замуж и родить — не фокус. Самое трудное и самое важное — вырастить из мужа заботливого папу.**

И начать стоит с того, чтобы заранее, ДО беременности выяснить, хочет ли ваш партнер детей и готов ли ко всему, что с ними связано. Только в этом случае вы сможете потом предъявлять к нему требования, делить ответственность и заботы на двоих. А если выяснили, что не готов, — лучше отложить деторождение либо честно рассчитывать только на себя.

Вот собирался писать об отцах и обращаться к ним — настоящим и потенциальным, а получилось, что снова все шишки на женщин. Все-таки все зависит от вас, и давайте снова это признаем.

Так вот, помните, как советовал покойный доктор Спок? Вышли из роддома, передайте ребенка в руки отцу, а сами отправляйтесь на маникюр. Утрировано, но мысль ясна. И она верная.

Часто женщины отодвигают мужей от детской кроватки со словами «тут все должно быть стерильно». Или вырывают кулечек с младенцем из его рук — «еще уронишь». Или необъяснимым образом шепчут «я сама» при звуках «уа-уа» посреди ночи. А потом приезжает мама-бабушка, человек-теща, и оборона еще усиливается. Плюс в некоторых семьях принято нанимать няньку, и не одну. Таким образом между отцом и ребенком возникает дистанция, чуть ли не полоса отчуждения. Считается, что возраст до года, а то и до трех — не то время, когда отец может пригодиться в хозяйстве. Разве что за подгузниками сгонять, поцеловать пяточку и умилиться.

И вот момент упущен!

Я очень часто слышу от отцов детей самого разного возраста: «А что с ним делать? Маленький, сопливый, разговаривать не умеет». Им неинтересно, скучно и немножко страшно при мысли, что придется провести наедине с ребенком час, а то и два. По воспоминаниям дочек Льва Толстого, он начинал с ними общаться уже после их 20-летия. Но если у вас в мужьях не Толстой — думаю, из него можно сделать приличного отца.

Советы в тему. Если ребенок не спит — нормальный, любящий вас мужчина будет к нему вставать хотя бы через раз. Вы, главное, его не останавливайте.

Никогда не отвергайте предлагаемую помощь, никаких «да ладно, я справлюсь». Ну а если предложений помощи не поступает, сами активно приобщайте мужа к обслуживанию малыша. Надо чтобы сменить подгузники (время от времени) было просто некому — кроме него! Купать — только вдвоем и только вместе с папой. «Мне одной очень тяжело и небезопасно» — и это чистая правда. Прямо не начинать, пока он не придет домой.

Гулять с ребенком для отца — святое дело. Текст такой: «Я готовлю ужин, жду вас через два часа».

Словом, одевать, раздевать, укладывать спать — все это можно и нужно делать вместе или по очереди. Как можно раньше заводите в семье ритуалы отцовского участия в процессе ухода за ребенком. Какие-то обязанности должны быть исключительно в ведении отца!

И, кроме того, под разными предлогами оставляйте ребенка тет-а-тет с его папой. Пусть привыкает. «Мне надо отдохнуть», «мне срочно в поликлинику» — и побежала… В этом нет ничего эгоистического и легкомысленного — помните, вы растите отца своего чада, вы спасаете семью и ваше общее будущее. Только вкладывая в ребенка свое время и силы, гуляя, меняя подгузники, купая, вставая к нему ночью, мужчина способен крепко привязаться и полюбить дитя. Кстати, необязательно свое собственное.

К сожалению, у самих сегодняшних отцов детство чаще всего прошло без отцов. Не факт при этом, что они росли в неполных семьях или их папы были алкоголиками или плохими людьми. Они могли просто не заниматься сыновьями, не особо участвовать в их жизни, может, даже «козу» ребенку не могли сделать. И теперь мы имеем реально беспомощных мужчин, которые представления не имеют, как покормить, одеть, посадить своего ребеночка на горшок… Это они говорят: «Откуда я знаю, чего он хочет и чего он орет?», «Как с ним ИГРАТЬ, когда он еще на ногах не стоит?». Откуда им вообще знать, что в семье это может делать мужчина, когда их суровые отцы и деды считали общение с детьми немужским делом? Если у кого не так — поздравляю! Остальным придется впервые заводить в семье правильные традиции.

Позицию «Я приношу в семью деньги — и это мой вклад! Что вы еще хотите?», а тем более «Я работаю, устаю — мне не до ваших соплей» я считаю совершенно неприемлемой. Отец — это не только (а по нынешним временам — и не столько) кормилец, это человек, который участвует в воспитании детей, общается с ними, интересуется их жизнью, на которого ребенок может положиться и всегда об этом знает! Только так у родителей получается вырастить здоровых, уверенных в себе людей, а не невротиков с дефицитом внимания и кучей комплексов.

Самое плохое, что можно выбрать в семейном сценарии, — это роль плохого следователя. И, к сожалению, ее-то отец чаще всего и играет. И тут он снова и снова ведется на элементарную женскую провокацию: «Иди, разберись, я уже не могу». В 99% случаев это значит, что он сейчас начнет орать или даже возьмет ремень, вместо того чтобы спокойно сказать: «Сынок (доча), ну что у вас тут случилось?» И виноваты в каждой сцене с отцовским гневом и мать, которая «сливает» ребенка и часто пользуется угрозой «я скажу папе», и отец, которому легче ритуально повозмущаться, чем принципиально изменить подход и произвести системную перестройку отношений в семье.

С отцами существует еще одна серьезная проблема — ревность. Для некоторых мужчин это полный ужас, когда все внимание переключается на ребенка. Будучи инфантильными, они начинают невероятно мучиться и ревновать. И агрессия по отношению к детям в большинстве случаев проявляется именно из-за ревности!

У меня на консультации была клиентка, которая с ужасом рассказывала, что каждый раз, когда на диване сидит вся семья — она, муж и их маленький сын, сын неизбежно оказывается на полу, потому что муж его незаметно СТАЛКИВАЕТ с дивана, подвигаясь и подвигаясь в его направлении. Ну что тут скажешь? Дети, особенно маленькие, действительно требуют 100% внимания матери, и все-таки хорошо бы как-то исхитриться и сохранить отношения уровня «мужчина — женщина» и не переводить их на уровень «мужчина — мать ребенка мужчины». Это очень трудно, важно и возможно только при условии любви и дружбы между супругами.

Важное отличие мужчин в подходе к ребенку состоит в том, что они гораздо более амбициозны, чем женщины, и постоянно нагружают детей своими большими надеждами. Понимаете, им все время кажется, что их ребенок НЕДОСТАТОЧНО УСПЕШЕН! Что, как правило, выливается в детский невроз «неоправдавшего ожидания». Сколько трагедий и детских слез я наблюдал, когда 12-летних девочек отправляли в школы под Лондоном или Берном, когда сыновья против своей воли вынуждены были поступать в Высшую школу экономики или на правильный факультет МГУ — просто потому, что отец так решил. Отец когда-то сам мечтал там учиться. Типа «что отцы не допели — мы допоем!».

Или один папа 7-летней девочки рассказал, что дочка занимается гимнастикой, а там все жестко, но он договорился с тренером, что до 12 лет ее «ломать» не будут. Давая тем самым понять, что он не такой сумасшедший родитель, как все остальные… По-моему, это вообще странно — допускать мысль, что твоего ребенка будут «ломать».

Матери и по поводу учебы не так бушуют, здоровье ребенка их волнует больше, чем школьная успеваемость. А вот отцовская амбициозность в этой теме расцветает пышным цветом! Как и в теме контроля, особенно за девочками. Тут папы ведут себя особенно агрессивно, пытаются жестко ограничивать свободу — не столько из-за желания оградить от неприятностей, сколько из страха и опять-таки ревности…

Несколько слов о разведенных отцах. Есть категория мужчин, которые уходят к другой женщине, создают новую семью, заводят детей там, а о «предыдущих» забывают. И этих мужчин не так мало, как принято думать. Это опять же к вопросу о социальной природе отцовских чувств — есть в этом что-то от «с глаз долой — из сердца вон».

А для тех, кто, существуя в состоянии развода, поддерживает связь с детьми, характерны две ошибки. Ошибка первая: при встрече с ребенком «включать учителя» и сводить все общение к контрольным вопросам об учебе, оценках, уроках, дисциплине, дополнительных занятиях, «о чем ты только думаешь?» и «сейчас надо собраться и поднажать». Второй вариант ошибочного поведения воскресных пап — устраивать непрерывный праздник. Перемещаться из кинотеатра в кафе, оттуда в зоопарк, там на карусели, потом в «Детский мир», в пиццерию и так до бесконечности.

А ребенку тем временем как воздух необходимо нормальное человеческое общение! Чтобы папа спрашивал о том, что ребенка волнует, чувствовал его настроение, состояние, интересовался его отношениями с друзьями и противоположным полом и т. д.

Но приходится констатировать, что вместо этого отцы чаще всего отгораживаются от детей, сначала покупая им игрушки, а потом (в лучшем случае) оплачивая учебу. **Предложить вместо себя деньги — это вообще распространенная у нас ситуация. Как и мужской инфантилизм и неготовность брать на себя ответственность. Плюс эмоциональная недоразвитость, когда мужчины не умеют проявлять добрые чувства, даже толком обнять ребенка не могут, зато прекрасно умеют проявлять агрессию… Все это есть, и все это факт нашей жизни. Но над всем этим можно работать. Было бы желание.**

И под конец попробую обратиться непосредственно к представителям сильного пола.

ИНСТРУКЦИЯ
«Как стать хорошим отцом»

- Не женитесь либо не соглашайтесь, чтобы жена рожала, если вы не ощущаете в себе потребность стать отцом. В идеале вы должны быть готовы, должны этого хотеть и, самое главное, иметь на это силы и время.

- Развивайте свою эмоциональность, учитесь давать и брать любовь, учитесь чувствовать и выражать свои чувства.

- Если вы хотите, чтобы у вас были настоящие, близкие, доверительные отношения с детьми, не ждите, когда им исполнится 15 лет, — купайте, пеленайте, кормите из бутылки и с ложечки, вставайте ночью и гуляйте днем, будьте рядом всегда — не буквально, так душой и мыслями.

- Учитесь играть в, казалось бы, бессмысленные детские игры.

- Не грузите детей своими ожиданиями, не растите из них отличников, космонавтов, Биллов Гейтсов, академиков Ландау — принимайте их такими, какие они есть...

Если у кого был отец, который все это умел… Как же мы ему благодарны, верно? Навсегда благодарны.

Те, у кого были и есть такие отцы, выросли людьми, уверенными в себе, и уж конечно более счастливыми и здоровыми, чем все остальные…

О бесполезности чтения

Я против того, чтобы у художественной литературы учились жить. Она для другого. От нее надо получать удовольствие. Она должна бодрить и заставлять голову работать. А не учить, как вести себя в обществе. Надо быть моралистом не в литературе, а в жизни. Добро надо делать.

Владимир Сорокин

В отношениях родители–дети время от времени наступает момент обострения, когда заботливые мамы, будто только того и ждали, начинают иезуитски шептать в уши своим детям «скоро в школу», таскать их по школьным базарам и проверять, что прочитано по списку литературы Марьиванны «на лето». А когда оказывается, что ничего не прочитано, хвататься за голову и орать: «Я в твои годы!» И рассказывать про книжки из серии «Библиотека приключений», про «Детей капитана Гранта», «Всадника без головы» и стонать про советскую классику с прекра-а-а-асными иллюстрациями.

Когда я такое слышу, то вспоминаю, что товарищ Сталин любил читать Мопассана, Гоголя, Золя, Достоевского, Уайльда, Чехова и поэзию, мог прочитать до 500 страниц в день, и что? Стал он от этого лучше, гуманнее, добрее? Почему-то в нас крепко сидит убеждение, что книги могут сделать человека лучше. Застряло прямо на уровне спинного мозга. А тем временем нет тому никаких подтверждений. Писатели — это чемпионы среди невротиков, которые с помощью творчества безуспешно пытаются справиться со своими многочисленными страхами, тревогами и комплексами. Чему они могут научить? И должны ли?

Однажды я читал лекцию в известной московской школе. И в конце родители, конечно, стали ахать и охать, жаловаться, что дети ничего не читают. (Кстати, педагоги Царскосельского лицея были уверены в том же самом. Все помнят, кто у них был в учениках?) Я говорю: «А что тут плохого? Ну, не читают…»

Что началось! «Они себя обедняют», «они себя обделяют», «они вырастут неучами», «словарный запас», «мыслительный процесс», «безграмотность» и «опускаются руки». Тогда я спросил, кого бы они хотели видеть в любимых авторах детей. Оказалось, что в первую очередь Чехова. Чехова! Великого, но глубоко несчастного, депрессивного писателя, женившегося на нелюбимой женщине, всю жизнь любившего другую и превратившего свою жизнь в сплошную драму. Как психолог я бы не отделял личность писателя от его творчества. Он абсолютно гениально описал пошлость нашего мира, но зачем детям это читать? Или его прекрасная ирония и самоирония… С точки зрения психолога, ирония и самоирония — это агрессия и самоагрессия. Нужно ли это, так сказать, юным душам?

Когда я сам был невротиком, то перечитывал «Братьев Карамазовых» раз в полгода, потому что испытывал потребность в переживаниях и невротических эмоциях. А теперь нет-нет, да и захожу в книжный и прошу порекомендовать мне что-нибудь позитивное. Меня неизменно отсылают к писателям-сатирикам. Хотя где позитив и где сатира? Правда, есть замечательный Слава Сэ и моя любимая Наринэ Абгарян. Но и их юмор из серии «печаль моя светла…». И все же моя, теперь здоровая, психика больше тянется к Славе Сэ, чем к Алеше Карамазову.

Роль художественной литературы в нашем обществе вообще сильно преувеличена. Еще и понимается превратно, что всегда чревато… А ведь что такое художественная литература? Интересные истории, рассказанные хорошим языком. (Как вариант: великие истории, рассказанные гениальным языком.) В них нет ответов на вечные вопросы бытия и небытия! Они не раскрывают смысла жизни и не составляют его.

Чехова, как и любого другого писателя, можно и нужно читать, если вы получаете удовольствие от самого процесса чтения. Но писатель — это не мессия, светлый лик которого освещает наши тусклые убогие жизни. Тот же Чехов в книге «Остров Сахалин» описал поэтов-убийц. И что с того, что они поэты-декаденты, ценители прекрасного? Убивали они с особой изысканностью.

Есть интересные книги и хорошие писатели. И мы любим их примерно за то же самое, за что уважают талантливых рассказчиков в тюрьме: за то, что они дарят нам радость, даже наслаждение от соприкосновения с увлекательной историей. За то, что с их помощью мы испытываем чувства и переживаем события, которых нам не хватает в нашей реальной жизни. Спасибо, но на этом всё.

И еще один аспект. Понятно, когда событий и эмоций не хватает сидельцам в тюрьме. Тут мало чем можно помочь. Проблема с теми, кому литература заменяет «реал», кто еле досиживает на скучной работе, чтобы добежать до «читалки» или книги, и снова и снова с упоением погружается в воображаемые миры. Когда книга — украшение жизни, дополнение к ней — это нормально, а когда литература и есть жизнь — это уже диагноз. Книга должна дарить радость, а не помогать депортироваться из реальности. Если реальность невыносима, надо работать над тем, как сделать ее лучше, комфортнее, работать над своим восприятием, а не жать на Esc.

И чего точно не надо делать, так это ЗАСТАВЛЯТЬ ребенка читать.

У большинства внутреннее «надо» настолько довлеет над «хочу, «мечтаю» и «могу», что когда они делают то, что ХОТЯТ, то чувствуют себя намного хуже, чем когда делают то, что ДОЛЖНО. Причина – холодные нечуткие родители, которые игнорировали, не уважали, не придавали значения желаниям ребенка. Отсюда же, из семьи, традиционная для россиян готовность подчиняться, унижаться, смиряться и, конечно, терпеть лишения. Как и уверенность, что их мнение ничего не значит и никого не интересует – ведь в детстве мы все это уже проходили. Как и наши родители...

Если ребенок а) не читает и б) не гуляет с друзьями, беспокоиться стоит только по поводу второго пункта. Социализация прежде всего. Потому что жить человеку нужно не в книгах, а навыки живого общения, умение заводить друзей, влюбляться, ориентироваться в настоящих человеческих отношениях, уметь испытывать эмоции самому важнее и полезнее, чем читать о них в книгах. Даже в самых лучших книгах.

Уважаемые непримиримые мамочки! Не надо так волноваться, говорю вам как психолог и педагог с большим стажем. Не в книгах счастье! Если вы любите читать сами, получаете от этого удовольствие, если ребенок часто видит вас с книжкой, а в доме все полки ими забиты — это не пройдет даром, скажется обязательно, хотя, может быть, не сразу. Бесполезно и даже вредно нудеть, угрожать, рисовать страшные перспективы тупого бескнижного существования, торговаться («Если прочтешь столько-то страниц — я тебе за это…»). Это отодвинет момент сближения ребенка и книги. Хороший вариант — читать детям вслух. И не только Винни-Пуха, но и любые ваши любимые книги, включая «Войну и мир». Вместо телевизора. А с произведениями в рамках школьной программы пусть сами разбираются. Но об этом мы еще поговорим.

Про детский сад

Воспитание ребенка не зависело от воли отца, — он приносил его в «лесху», место, где сидели старшие члены филы, которые осматривали ребенка. Если он оказывался крепким и здоровым, его отдавали кормить отцу, выделив ему при этом один из девяти земельных участков, но слабых и уродливых детей кидали в «апофеты», пропасть возле Тайгета.

Плутарх. Сравнительные жизнеописание. Ликург и Нума Помпилий*

В 18 лет я махал метлой в детском садике при КГБ СССР. Были тут и ясли-пятидневка. Сейчас, наверное, не все представляют, что это такое. Это когда ребенка в год-полтора относят в ясли в понедельник с утра, а забирают в пятницу вечером. Неудивительно, что из этого отделения постоянно доносился детский плач. Дополнительный кошмар ситуации заключался в том, что родители плачущих детей жили прямо в соседнем подъезде.

30 лет прошло, а я еще слышу эти страшные детские крики, и перед глазами всплывает такая сцена: в длинных кожаных пальто работники органов идут к себе домой; увидев во дворе кого-то из родителей, из яслей выбегает нянечка и кричит: «Ну, возьмите хоть искупать!» А люди в кожаных пальто поворачиваются и отвечают: «В субботу заберем, работы много».

* Пер. В. Алексеева.

Я категорический противник самой идеи яслей. Ясли — это зло. Без вариантов. Если вы сдали туда ребенка — ваша фамилия Менгеле.

Еще одна история. В США в конгресс много лет поступает запрос о выделении средств на создание государственных детских садов. И много лет конгрессмены этот запрос отклоняют. Они считают, что, раз уж вы родили ребенка, вся ответственность за него должна лежать на вас, а не на государстве. И что растить детей в казенных условиях — значит вредить им. И в чем-то они, безусловно, правы.

У нас же в стране детские сады появились в качестве «средства раскрепощения трудящейся женщины-матери» и всегда считались благом. Хотя недостатков у пребывания в этих учреждениях много, а достоинство одно — то же самое: они позволяют женщине (у которой нет денег на няню) выйти на работу.

И когда мать тащит ребенка в сад и сдает воспитателю, она иногда-таки чувствует себя злой мачехой, которая бросает падчерицу в лесу на съедение волкам. И неспроста. Садик — не лучшее место для ребенка, особенно если ходить туда он не хочет.

Так что делать, если ребенок не хочет идти в детский сад? И никакие «хоть на часик», «мама тебя скоро заберет» не действуют. Правильный ответ только один — не водить его в садик.

И на этом повествование можно было бы заканчивать. Если бы не вопрос: а ПОЧЕМУ он не хочет идти в садик? Миллионы детишек бегут туда вприпрыжку, а когда в конце дня за ними приходит мама, они гонят ее прочь со словами «я еще побегаю». И тут именно ваш ребенок садик невзлюбил. Есть повод задуматься и выяснить причину.

Вариантов несколько.

1. У ребенка что-то вроде социофобии. Он избегает новых мест, новых людей, не идет на контакт с детьми, опасается новых территорий.
2. Возможно, проблема посерьзнее: у ребенка аутические проблемы. Ребенок погружен в себя и в принципе боится любых перемен.
3. Имеет место нездоровая, даже патологическая привязанность к матери. Вплоть до того, что, когда родители уходят далеко, у ребенка поднимается температура. Такие дети, что называется, до школы спят с мамой в одной кровати и держат ее за ручку.
4. У ребенка отставание в развитии. Считается, что отправлять детей в детский сад лучше не раньше трех лет. А в пять лет во многих странах это и вовсе считается обязательным. Можно сказать, что родителям настойчиво, до принуждения рекомендуют отдать ребенка в детсад и даже не берут потом без этого в школу. Так вот, у 4–5-летнего («по паспорту») ребенка вполне может быть психика трехлетки. Отсюда и проблемы с социализацией. Ведь у совсем маленьких детей, например, запросто может не быть друзей — для того, чтобы дружить, заводить отношения, хоть как-то общаться, нужно созреть для этого психологически.
5. Ребенок очень тревожный, несамостоятельный, подвержен страхам. Он не только боится, но и не знает, как себя вести в незнакомой обстановке. Причиной тут может быть гиперопека, которой его окружили в семье, где все делают ЗА НЕГО, а сам он даже шнурки себе не может завязать.
6. У некоторых детей на фоне тревожности такой слабый иммунитет, что они могут даже не рыдать, когда их будят в садик, — они сразу заболевают.

Что с этим делать?

Во-первых, не считать, что вот сегодня дите плачет и не хочет идти в сад, а завтра «стерпится-слюбится» и «все наладится». Не люблю эти выражения. Раз у ребенка есть проблема, раз его психика сопротивляется, значит, решить эту проблему можно либо обратившись к специалисту (к детскому неврологу, психологу, психотерапевту), либо поломав его психику.

И если он уже не плачет, а покорно одевается и плетется в садик — это не значит, что он привык. Это значит, что у него нет сил бороться с обстоятельствами. Он практически в заложниках у родителей и просто потерял способность им противостоять.

Так что настоятельно советую, если заметили один из тревожных симптомов, — обратитесь к профессиональному психологу. Некоторые случаи требуют внимания, изучения и лечения. И вполне вероятно, что после вмешательства специалиста, разобравшись со своими проблемами, ребенок с удовольствием будет ходить в сад. Но вам в любом случае надо ему помочь.

ИНСТРУКЦИЯ
«Как отдавать ребенка в сад»

Что надо сделать обязательно, если перед первым походом в садик у вас все более-менее нормально, но есть легкое волнение:

- взять отпуск на две недели (в крайнем случае нанять няню или привлечь бабушку);
- договориться в детском саду, чтобы первое время (допустим, первую неделю) у вас была возможность оставаться на территории детского сада, и, как только ваш ребенок начинает сиротливо оглядываться, мама тут же выходит из-за угла;
- вторую неделю пребывания ребенка в детском саду тоже лучше далеко от него не отходить — не сидеть в садике, но находиться где-то совсем рядом;
- первое время (от недели до двух) оставляйте ребенка в саду только до обеда, за этот срок он полностью адаптируется.

И всегда, а не только первые две недели, пожалуйста, помните, что **дети воспринимают мир через взрослых и их оценку. И детский сад тут не исключение. Как только вы начинаете дергаться, садик начинает ассоциироваться с вашим напряжением и «нервами».**

А если по утрам в доме сущий ад, если вы каждый раз орете что-то вроде: «Опять проспали! Вставай скорее! Опаздываем! Одевайся! Где колготки? Ты можешь побыстрее или ты хочешь, чтоб меня с работы выгнали за опоздания?» В этом случае ребенок, конечно, будет воспринимать садик как что-то проблемное и ужасное.

О том, как важно заранее приготовить одежду и вовремя вставать, думаю, напоминать не стоит.

Но попробуйте к тому же настроиться положительно и, собираясь в садик и по дороге туда, излучать спокойствие и любовь. Расскажите, как вы завидуете тому, что он идет в сад, а вы, как лох, туда пойти не можете, ведь вы уже выросли и поэтому вынуждены идти на работу. (И ни в коем случае не надо говорить, что ходить в садик — это его работа. Никакая это не работа! Это игра, прогулки, песни, танцы и прочее.)

Да, и не забывайте вовремя забрать ребенка из сада. Потому что, даже если он благополучно провел там день, если всех уже забрали, а за ним никак не приходят, он еще подумает, идти ли туда завтра.

Ну, и последнее про причины, по которым дети не хотят идти в садик, и способы разобраться с этим — если ваш ребенок здоров, весел, любопытен, жизнерадостен, но не хочет идти в сад — оставьте его в покое: он просто не хочет туда идти.

Придумайте что-нибудь. (Но имейте в виду, что детей до 12 лет нельзя оставлять дома одних.) Найдите способ не превращать детство вашего ребенка в постоянный стресс. Ведь если он так сопротивляется, а вы, пользуясь его зависимостью от вас, ломаете его волю и плюете на его желания — вы уже в раннем возрасте формируете у него неполноценную психику. И более того, закладываете вероятность развития у него неврозов и психозов, страхов и тревожности, энуреза и астмы, тиков и диатеза.

Хотя, конечно, может, и обойдется. Вы хотите проверить?

Про семью и школу

…Теперь дозвольте пару слов без протокола.
Чему нас учат, так сказать, семья и школа? —
Что жизнь сама таких, как мы, накажет строго.
Тут мы согласны, — скажи, Серега!

Владимир Высоцкий

Первое и самое главное: делать уроки с ребенком не надо! Собирать с ним портфель не надо! Спрашивать «как там, в школе?» не надо. Вы и отношения портите, и результат только отрицательный. Вам что, с ним больше поговорить не о чем?

У ребенка обязательно должно быть личное свободное время, когда он НИЧЕГО не делает: от двух до четырех часов в день. Тревожные амбициозные родители детей заорганизовывают. Кружки, секции, языки… И получают неврозы и все, что к ним прилагается.

В отношениях со школой и педагогами вы должны быть на стороне своего ребенка. Берегите детей. Не бойтесь плохих оценок. Бойтесь довести до отвращения к школе и учебе вообще.

Российские родители ориентированы на оценки. Это еще с советских времен. Например, в моем классе учились два чеха и один поляк. После одной серьезной контрольной на собрании все НАШИ родители спрашивали про оценки и только чехи и поляки спрашивали что-то вроде: «Как он себя чувствовал? Он волновался?» И это правильно.

Трудно сказать, у кого больше психологических проблем — у отличника или у двоечника.

Отличники, которые берут усердием и «высиживают» свои пятерки, — тревожные дети с пониженной самооценкой.

Если ваш ребенок не в состоянии делать уроки сам, у этого всегда есть причина. Лень тут ни при чем. Такой категории, как «лень», в психологии вообще не существует. Лень всегда раскладывается на отсутствие мотивации и воли.

Среди причин, по которым ребенок не делает уроки сам, может быть что угодно: повышенное внутричерепное давление, гипертонус, психологические проблемы, СДВГ (синдром дефицита внимания и гиперактивность). И вместо того, чтобы тратить вечера на совместное сидение над учебниками, лучше попробовать определить эту причину и работать над ее устранением.

Есть родители, которые хотят вырастить ответственных, самостоятельных, успешных детей.

И бывают родители, цель которых — тотальный контроль над ребенком, а уж каким он там вырастет, не так и важно — главное, чтобы не срывался с поводка.

Как часто из-за тревоги по поводу оценок буквально рушатся семьи, крушатся отношения, родители и дети оказываются разъединены, иногда навсегда.

Психика у подростков и без того обострена, а месяцы подготовки к ГИА и ЕГЭ становятся по-настоящему черными временами для семьи: всех преследуют неврозы и депрессии, они провоцируют истерики, болезни, чуть ли не суициды.

Как избежать всего этого кошмара или хотя бы минимизировать последствия?

Я думаю, сосредоточиться на любви и вечных ценностях.

Подумать о том, что довольно скоро, когда все оценки и экзамены сотрутся из памяти, будет важно только

Мужчины! Не женитесь либо не соглашайтесь, чтобы жена рожала, если вы не ощущаете в себе потребность стать отцом. В идеале вы должны быть готовы, должны этого хотеть и, самое главное, иметь на это силы и время.

одно — не утратили ли вы близость, доверие, понимание, дружбу со своим ребенком…

Ведь можно получить пятерку и потерять дочь. Сдать ЕГЭ, «поступить сына в институт», но уже не восстановить отношений.

Лекции о воспитании детей, советы психологов и педагогов по поводу отношений в семье эффективны и имеют смысл исключительно в том случае, если сами родители психологически благополучны или хотя бы стабильны.

БУДУЧИ НЕСЧАСТНЫМИ людьми, вы никак не сможете так выстроить отношения с ребенком, чтобы он был счастлив. А если счастливы родители, то специально и делать ничего не надо.

Многие считают, что у них, родителей, все нормально, а проблемы только у их детей. И удивляются, когда в одной семье вырастают два совершенно разных ребенка: один уверенный в себе, успешный, отличник боевой и политической, а другой — закомплексованный неудачник, вечно ноющий или агрессивный. А ведь это значит, что дети по-разному ощущали себя в семье и кому-то из них не хватило внимания. Кто-то был более чувствительным и больше нуждался в любви, а родители этого не заметили.

Следить за тем, чтобы ребенок был одет, обут и накормлен, — это забота, а не воспитание. К сожалению, многие родители уверены, что заботы достаточно.

КАК ВЫ ОБЩАЕТЕСЬ с ребенком в его детстве, так он будет обращаться с вами в вашей старости.

Когда у вас рождается ребенок, вы считаете это чудом, вы счастливы, что стали родителями, делаете все, чтобы ребенку было хорошо, радуетесь общению с ним, восхищаетесь каждой мелочью… Но вот ему исполняется 6 или 7 лет, и между вами и ребенком встает школа. Будто в дом приходит военком и выдергивает дитя из семьи. Хотя, что, собственно, происходит такого страшного? Ну, надо ему ходить в школу, получать знания по мере сил, общаться, взрослеть. Зачем же позволять этому естественному процессу разобщать вас? Школа меньше, чем жизнь, и ее надо вывести за рамки ваших отношений с ребенком.

Школа должна научить не столько математике и литературе, сколько самой жизни. От школы важно получить не столько теоретические знания, сколько практические навыки: умение общаться, строить отношения, отвечать за себя — свои слова и поступки, решать свои проблемы, договариваться, распоряжаться своим временем... Именно эти навыки помогают уверенно чувствовать себя во взрослой жизни и зарабатывать себе на жизнь.

ЧРЕЗМЕРНЫЕ ПЕРЕЖИВАНИЯ ребенка из-за плохих оценок — это только зеркало реакции взрослых. Если родители спокойно реагируют на двойку или неудачи в спорте, еще на какие-то сбои, если родители улыбаются, говорят «Мой хороший, не расстраивайся», то и ребенок спокоен, стабилен, обязательно выравнивается в учебе и находит дело, где у него все получается.

Если в начальной школе ваш ребенок не справляется с программой (некоторые репетиторов нанимают уже в первом классе), если вам приходится подолгу сидеть с ребенком над уроками — проблема не в ребенке, а в школе, гимназии, лицее. Эти заведения работают исключительно на амбициях родителей и заботятся не о детях, а о собственном престиже и стоимости своих услуг. Сложнее — не значит лучше! Ребенок не должен переутомляться, пытаться догнать программу, составленную педагогами, которым непрерывно требуется помощь родителей, репетиторов, интернета и т. д.

В первом классе на подготовку домашнего задания должно уходить от 15 до 45 минут. Иначе вы все долго не выдержите.

НАКАЗЫВАТЬ ДЕТЕЙ МОЖНО и иногда даже необходимо. Но нужно четко разделять ребенка и его поступок. Например, вы заранее договорились, что до вашего прихода с работы он сделает уроки, поест и уберет за собой. И вот вы приходите домой и видите картину: кастрюля с супом стоит нетронутая, учебники явно не открывались, на ковре бумажки какие-то валяются, а дите сидит носом в планшете.

Главное в этот момент не превращаться в фурию, не орать про то, что «у всех дети как дети», и про то, какой он бессовестный мучитель, безответственный урод и что из него вырастет ноль без палочки.

Без малейшей агрессии вы подходите к ребенку. Улыбаясь, обнимаете его и говорите: «Я тебя очень люблю, но планшета ты больше не получишь». Можно еще выдать телефон Nokia старого образца. Без всякого интернета.

А орать, оскорблять, обижаться и не разговаривать — вот этого не надо. Ребенок наказан отъемом гаджетов.

КАРМАННЫЕ ДЕНЬГИ должны быть у ребенка уже лет с шести. Не крупные, но регулярно выдаваемые суммы, которыми он распоряжается сам. И очень важно, чтобы деньги не стали инструментом для манипуляции. Не надо контролировать, на что ребенок их тратит, и ставить сумму траншей в зависимость от его успеваемости и поведения.

Не надо за детей проживать их жизнь, решать, что им делать и что нет, решать за них их проблемы, давить на них своими амбициями, ожиданиями, указаниями. Вы же постареете, как они сами жить-то будут?

Во всем мире учиться в университеты поступают только самые умные и самые богатые. Остальные идут работать, искать себя и зарабатывать на высшее образование. А у нас что?

ЕСЛИ РЕБЕНКА ПОСТОЯННО ОПЕКАЮТ — он не знает, что такое нести ответственность за свои поступки, остается инфантильным и падким на любую возможность нарушить запрет.

Я против постоянного пристального контроля. Ребенок должен быть уверен, что в семье его любят, уважают, с ним считаются и ему ДОВЕРЯЮТ. Вот в этом случае он не свяжется с «плохой компанией» и избежит многих соблазнов, перед которыми не могут устоять сверстники с напряженной ситуацией в семье.

Когда я работал в школе, то в День знаний говорил, что учиться надо хотя бы потому, что за работу головой платят во много раз больше, чем за физический труд. И что, выучившись, вы сможете работать и получать деньги за то, что сами любите делать.

БАРДАК В КОМНАТЕ ПОДРОСТКА соответствует его внутреннему состоянию. Так внешне выражается хаос в его душевном мире. Хорошо еще, если он моется… Требовать «навести порядок» можно, только если вещи ребенка валяются за пределами его комнаты.

ВОСПИТЫВАТЬ — НЕ ЗНАЧИТ ОБЪЯСНЯТЬ, как надо жить. Это не работает. Дети развиваются только по аналогии. Что можно, а что нельзя, как надо и как лучше не поступать, дети понимают не из слов родителей, а исключительно из их поступков. Проще говоря, если отец говорит, что пить вредно, а сам не просыхает — существует много шансов, что сын станет алкоголиком. Это самый яркий пример, но более тонкие вещи дети улавливают и перенимают не менее чутко.

Говорить с детьми надо о жизни вообще, а не о том, как НАДО жить. Если же родитель может говорить с ребенком только о проблемах — у него проблема.

Если ребенок пытается манипулировать взрослыми — у него просто невроз. И надо искать его причину. Здоровые люди не манипулируют — они решают свои проблемы, действуя прямолинейно.

В разговоре с ребенком (и не только) не критикуйте его, не трогайте его личность, не выходите за рамки анализа его поступков. Говорите не о нем, а о себе. Не «ты — плохой», а «я думаю, ты плохо поступил». Используйте формулировки: «Мне не нравится, когда ты…», «Мне бы хотелось, чтобы…».

Поменьше критики, побольше конструктива и позитива.

Ребенок должен ощущать, что родители — это добрые, но сильные люди. Которые могут его защитить, могут ему в чем-то отказать, но всегда действуют в его интересах и, главное, очень его любят.

Про подростков

Большое преимущество получает тот,
кто достаточно рано сделал ошибки,
на которых можно учиться.

Уинстон Черчилль

Обычно родители либо пропускают момент взросления своего чада, как-то все не могут собраться с силами и осознать, что вот оно началось и вовсю идет. Ну, либо напрочь отказываются в него верить.

А ведь это очень важно — вовремя распознать пубертат и в то же время не расстаться с ощущением, что агрессивный подросток у зеркала — тот самый ребенок, который нуждается в вашей любви и поддержке. Нуждается как никогда.

Однако самыми распространенными способами вступить в контакт с подростком продолжают оставаться следующие:

а) обессилевшая мать истерит, орет, от чего все становится только хуже;
б) агрессивный отец врывается в ситуацию с возгласом: «Я из тебя щас всю дурь выбью!»

Плюс вокруг бабушка крутится, как Плющенко в клипе вокруг Билана.

Начнем с начала. Итак, ваш малыш с ангельскими ресничками, пахнущий, как розовый куст, превратился в орущего, вонючего, конфликтного, местами волосатого ежа. Обычно он не хочет читать, учиться и отводить глаза от планшета.

Так продолжается не один год, и отношения, которые формируются в этот период, могут сохраниться на всю жизнь. Подростковый возраст пройдет, а отчуждение закрепится. Если…

Если не помнить, что «переходный» — это САМЫЙ тяжелый возраст в жизни человека, который нельзя сравнить ни с одним другим возрастным кризисом. Ни в детстве, ни в старости — ни в 30, ни в 40, ни в 85 у человека не бывает такой трудной жизни. Ведь ребенок начинает резко расти, скелет и мышечная масса увеличиваются, а сердечно-сосудистая система отстает. Все это в полном несоответствии друг другу и никак не выравнивается. Гормоны скачут. И симптомы, которые у взрослых являются последствиями сильнейшего стресса, например сбой менструального цикла, утомляемость, перепады настроения, в подростковом возрасте считаются нормальными издержками роста.

Ну, представляете, как ему трудно?

Отсюда конфликты, претензии, обиды. Появляются первые прыщи и первые комплексы. Потливость усиливается, успеваемость падает. (В начальной школе, по статистике, успеваемость, когда дети учатся на 4–5, составляет 50%, в средней школе уже 10%. В связи с пубертатом учеба перестает быть главной деятельностью ребенка.) В жизнь входят многочасовые стояния перед зеркалом и запах табака. Ну и плюс-минус всякие кошмарные явления, которые еще недавно родителям и в страшном сне не могли присниться: наркотики (по официальным данным, в России первый раз наркотики пробуют в 13 лет), секс (в 15), алкоголь и гулянки по ночам. Хотя, казалось бы, еще недавно назначенный мамой комендантский час был не пустым звуком.

И если ребенок вообще перестает ходить в школу, предки понимают, что, конечно, могут спросить «почему?». Но на фоне всего остального это не самое страшное.

Огромный мир подростка трагически сужается до какой-нибудь тупой, с точки зрения взрослых, проблемы: «Почему у меня нет парня?» или «Почему я самый маленький в классе?». И мои любимые типично подростковые заморочки: «Я что, не такой, как все?» и «Неужели я похож на других?».

Обычно пубертат раньше начинается у девочек (в 11–13), позже у мальчиков (в 12–15). Хотя многое зависит от таких факторов, как национальность и гены.

И вот они уже не дети, но еще и не взрослые, и от этого едет крыша. Произойти такое может резко вдруг, как описано у Франсуазы Саган, — за одно лето.

ЧТО СОВЕТУЮ

1. Расслабиться. Вспомнить, что вам тоже было 14 лет. Вспомнить, как в ночи мать звонила вашим подругам, а отец тревожно стоял у окна. В общем, вспомнить, как все это было у вас и как вы все-таки выжили.

2. Понять, что ребенок вырос, имеет вторичные половые признаки и подвижную психику. И что сейчас он находится в болезненном состоянии, от которого страдает в первую очередь он сам, причем страдает куда сильнее, чем вы. Принять его взросление. Проявить к нему уважение, как к взрослому человеку, и оказать поддержку.

3. Как можно чаще проявлять понимание и сочувствие. Вы, конечно, живой человек и, когда слышите что-то откровенно хамское, имеете право высказать недовольство. Но все-таки попробуйте постараться проживать дни без агрессии и скандалов.

4. Вывести из дома тему школы. Вообще. Вынести ее вместе с мусором. Говорить о школе, только если ребенок сам инициирует этот разговор. (Сюда же относятся разговоры про оценки,

ЕГЭ, от результатов которого якобы зависит будущее всей семьи, угрозы про армию, работу дворником, беседы о важности хождения в театры и музеи и прочее.) Если вы не будете выносить ему мозг своими нотациями, есть шанс услышать, что он говорит. Еще раз: если вы закроете рот, возможно, ребенок сам захочет что-то вам рассказать и поделиться сокровенным.

5. Не стоит левой рукой вынимать планшет, а правой вкладывать книгу в руки подростка. Бесполезно.

6. Для того чтобы сформировать у ребенка сознательное отношение к жизни, придется дать ему определенную свободу.

   Потому что через некоторые вещи точно лучше пройти в 15 лет, чтобы они не догоняли в 20. Факт остается фактом: дети, которых ограждали, с которыми носились, которых изо всех сил старались «не упускать», столкнувшись с реальной жизнью, попросту не умеют ею распоряжаться, не знают, как жить своим умом, и, став взрослыми, все время ищут какой-то опоры.

И часто получается так, что дети из семей, где все было под запретом, пытаются, к примеру, покурить и выпить, только поступив в институт. А это уже инфантилизм и выглядит глупо и нелепо. К этому времени ровесники уже все попробовали, повзрослели и отчасти переросли некоторые соблазны.

А вот «дети», которые жили по жесткому расписанию, которых все время контролировали, которым не доверяли, словом, заорганизованные дети, оказавшись в нестандартной ситуации, не знают, как себя вести. Они не привыкли и не умеют принимать решения. Не умеют и не привыкли противостоять соблазнам, отказывать. Зато очень хотят быть принятыми в компанию, мечтают, чтобы ровесники считали их за своих. В том числе и так становятся наркоманами.

Так что контролировать бессмысленно! Тотальный контроль и недоверие только приучают ребенка врать. Выход один — дать свободу сегодня! Чтоб ребенок пережил сложные ситуации, научился себя в них вести. **Доверие и уверенность, что ваш ребенок сам разберется, что хорошо, а что плохо, — вот залог вашего спокойствия! А вовсе не ежеминутные попытки определить его местонахождение и самочувствие.**

Ну и пожалуйста, даже в самые тяжелые моменты обострения взаимоотношений со взрослеющим сыном или дочкой не забывайте: это по-прежнему — он, тот самый малыш с ангельскими глазками и у него по-прежнему нет других родителей.

И короткая обобщающая памятка «Правила жизни с подростком», которые стоит соблюдать, если вы хотите пройти через переходный возраст с наименьшими потерями.

Учеба — личное дело ребенка. А ваше, родительское дело — любить его и заботиться о нем независимо от его успеваемости, прически, пятен на майке, успехов в спорте, музыке, изобразительных искусствах и вообще любых его успехов и провалов. Только безусловная любовь дает детям силы, веру в себя, психологическую стабильность и ресурсы для развития их талантов.

ИНСТРУКЦИЯ
«Как сохранить отношения с подростком»

Старайтесь и учитесь:

- БЫТЬ на его стороне всегда;
- уметь СЛУШАТЬ, не перебивая, когда подросток что-то рассказывает, чтобы он мог выговориться и не боялся, что в ответ на любую его фразу вы будете протаскивать какие-то свои воспитательные идеи («Вот видишь! А я говорила!»);
- уметь МОЛЧАТЬ, когда ребенок не хочет ничего рассказывать;
- уметь ОТКАЗЫВАТЬ, когда это необходимо, отказывать твердо, но доброжелательно;
- уметь ОТПУСКАТЬ и ДОВЕРЯТЬ, когда ребенок начинает жить своей «личной» жизнью (друзья, подруги, поездки, переписка);
- уметь ДОГОВАРИВАТЬСЯ с ребенком, не доводя ситуации до конфликта (ему всегда что-то нужно от вас, а вам — от него: «Не будешь помогать — не получишь карманных денег»), и придерживаться договоренностей;

- СОЗДАТЬ такие условия, чтобы у ребенка не было причин врать вам (причин вранья три: страх, выгода и психопатология, две из них вы в силах исключить, третью — вылечить);
- ИСКЛЮЧИТЬ из общения вопросы типа:
  - «Как дела в школе?»,
  - «Ты чего молчишь?»,
  - «Ты чего такой грустный?»,
  - «Ты чего такой грязный?»,
  - «Я смотрел электронный дневник и хочу поговорить об этом...» и прочее;
- РАЗГОВАРИВАТЬ не поучая, ОБЩАТЬСЯ на равных;
- научиться разговаривать НЕ О ШКОЛЕ, а о жизни вообще;
- не пытаться контролировать все в жизни подростка (это все равно невозможно), а воспитать так, чтобы он знал, как правильно реагировать на нештатные ситуации (насилие, алкоголь, наркотики и прочее);
- даже наказывая, делать так, чтобы ребенок не сомневался, что ВЫ ЕГО ЛЮБИТЕ.

- Два вопроса мучают подростков:
1) «Неужели я такой, как все?»
и 2) «Неужели я не такой, как все?».
И непонятно, что больше пугает.

- На первый план выходят проблемы с размером пениса (у девочек — груди), роста, внешности в целом, популярности в своей среде. Меняется так называемая референтная группа — круг тех, чье мнение значимо для подростка. Родители из этой группы надолго выпадают, их место занимают одноклассники, старшие ребята, ровесники противоположного пола.

...

Подростковый возраст — это возраст жесткого неприятия себя и крайней НЕСТАБИЛЬНОСТИ ПСИХИКИ, что обусловлено многими объективными, в том числе чисто физиологическими, причинами.

Стабильной психика становится только к 30 годам.

Такие психические, именно психические, а не нервные расстройства (нервные — это, например, энурез и заикание), как шизофрения, булимия, анорексия, начинаются как раз в подростковом возрасте.

...

Собственные подростковые неврозы и переживания накладываются на необходимость сдавать экзамены и на неврозы и истерики родителей по поводу учебы. В России это все особенно страшно, потому что (возможно, из-за страха перед армией — у мальчиков) считается, что поступить в институт надо сразу же после школы, иначе всё — жизнь не удалась!..

За границей из средней школы в высшую идут только круглые отличники и дети из самых богатых семей. Остальные определяются с выбором профессии, работают, ищут себя и поступают в университеты уже более-менее зрелыми людьми и учатся обычно на свои деньги.

...

— Все, что вы описали, — про моего сына. Но меня волнует не столько учеба, сколько вранье. Почему он врет?

— У вранья может быть три причины: 1) страх перед наказанием (или перед выяснением отношений); 2) выгода (если он крадет, например); 3) психопатология (немотивированное вранье). Как вы думаете, какой случай ваш?

— Думаю, он из страха.

— А чего он боится? Вы его бьете? Истерите, может?

— Я плачу.

— Ну, вот и объяснение.

…

Матери по-разному пытаются воздействовать на подростков. Некоторые практикуют, например, такие заявления: «*Але, ты обещал быть дома в десять вечера! Сейчас полночь! Я не могу до тебя дозвониться! У меня давление 220 на 100! Выпила дома весь валокордин с корвалолом. Скорая ко мне уже едет…*»

А ребенок — он не хочет считаться виновником преждевременной кончины матери. Он говорит что-то вроде: «*Мама, спокойно, я помогаю спасателям на пожаре, двух котов уже вынес, сейчас бегу за младенцем*».

Каждый изгаляется во вранье как может. И путь это тупиковый и порочный.

...

— Случайно прочла переписку сына во «ВКонтакте», из которой понятно, что у него сексуальная связь с мужчиной. Виду не подаю, но что делать, не знаю.

— Варианта два: либо он гей, либо это однократная связь, которая не выльется ни во что серьезное. Если это второй случай, пугаться не надо. Для него сейчас время экспериментов. В частных английских, чисто мальчиковых, школах это явление, когда мальчики не-геи вступают в связь друг с другом, широко распространено и является следствием той жесткой системы воспитания, которую там столетиями практикуют. Известно, что у многих мальчиков в школах-интернатах хоть раз в жизни была гомосексуальная связь. Это не мешает им потом жениться и вполне традиционно вести себя в сексе. Если же он гей, с этим ничего не поделаешь...

Другое дело, как вам принять этот факт. На это уйдет время. Но советую не давить на сына, пощадить его психику, попытаться все выяснить спокойно. В России геи и так находятся под отрицательно заряженным давлением общества...

…

— Подруга 12-летней дочери покончила с собой. Дочь в очень подавленном состоянии. Как нам ей помочь?

— Обязательно отвести к детскому психологу. Вы должны ее поддержать, но помочь по-настоящему может только специалист. Не тяните.

…

— У нас благополучная семья, а дочь начала баловаться наркотиками. Как это объяснить?

— А что вы называете благополучием? Помните, как раньше писали в характеристиках: «не привлекался, не состоял, не замечен»? Видели фильм «Нежный возраст» Соловьева? Там как раз про то, как развлекаются дети из благополучных семей…

Обычно, если в семье действительно подлинное психологическое благополучие, то есть хорошие отношения, доверие и любовь, то проблемы с наркотиками носят очень временный характер.

Доверие в отношениях с детьми жизненно необходимо. Если с ранних лет ребенку предлагается самому принимать решения, он вырастает самостоятельным и ответственным человеком, который в состоянии понять, что такое хорошо и что такое плохо, и отказаться от соблазна. И именно в этом залог спокойствия родителей, а не в постоянном, невротическом, тотальном контроле: «Ты где? Ты когда? Ты с кем?»

Выбросьте из головы, что вы можете что-то контролировать, когда детям уже по 14–16 лет. Самостоятельность воспитывается через доверие и свободу, которых, к сожалению, родители дать не могут из-за своей патологической тревожности, из-за своих страхов.

А вот запреты и контроль скорее провоцируют желание попробовать, подталкивают к запретным плодам.

Еще одно соображение по поводу курения, алкоголя и наркотиков: практика показывает, что «переболеть» всем этим легче в подростковом возрасте. Лучше в 14, чем в 20... Это как ветрянка — чем позже болеешь, тем тяжелее переносится и тем хуже последствия.

Если ценой невероятных усилий вам удалось сохранить подростка некурящим вплоть до окончания школы, то уж в институте (да где бы ни было) он оторвется. Хорошо, если не пустится во ВСЕ тяжкие, но пробовать запретные плоды начнет напропалую, и это совершенно естественно.

Что делать родителям, чьи дети замечены в курении? По-моему, все, что вы можете сделать, — это сказать им, как вас огорчает тот факт, что ваш ребенок вредит своему здоровью. Как вы расстроены... Вы можете только рассказать о своих чувствах.

НАКАЗЫВАТЬ ДЕТЕЙ МОЖНО и иногда необходимо. Но нужно четко разделять ребенка и его поступок и не превращаться в фурию, не орать, что «у всех дети как дети»... Без малейшей агрессии вы подходите к ребенку. Улыбаясь, обнимаете его и говорите: «Я тебяочень люблю, но планшета ты больше не получишь». Можно еще выдать телефон Nokia типа фонарик. Без всякого интернета.

...

В 10 лет ребенка еще можно напугать болезнями и смертью, в 12 — уже нет.

...

— Моя дочь сутками сидит в соцсетях. Что с этим делать?

— А кто купил ей планшет, компьютер, смартфон?

— Мы, но они у всех есть! У друзей, ровесников, одноклассников…

— У вас получается договориться об ограничении по времени сидения в сети?

— Нет!

— Выхода два: либо договариваться, либо отнимать и наказывать. Полтора часа в будни и четыре в выходные — вот время, которое я считаю приемлемым.

Вопрос уже не в соцсетях, а в зависимости. Любая зависимость, склонность впадать в зависимость — это серьезная психическая проблема, которая сказывается на многом в жизни. Поэтому не бойтесь быть «плохими», и, если ребенок сам не контролирует время, проводимое в соцсетях, придется это делать вам. Причем твердо, без сомнений и жалости.

...

— Дочка никак не догонит сверстниц в физическом развитии. Они все грудастые, высокие, фигуристые, а она очень миниатюрная… Какие правильные слова подобрать, чтобы утешить?

— Самое правильное, самое важное и, наверное, самое трудное — научить ребенка любить свою внешность просто за то, что это ЕГО УНИКАЛЬНАЯ внешность. И такой больше нет ни у кого. И отучить жалеть себя и жаловаться.

Все эти «я — урод», «посмотри, какой у меня кривой нос» говорятся, чтоб услышать бурные опровержения. Пару раз можно поутешать и сказать, какая она на самом деле красавица, но втягиваться в эти беседы, постоянно убеждать ребенка в его неотразимости — не стоит. Он пытается манипулировать, вызвать сочувствие… «У меня попа квадратная!» — «Да, и чё?»

Поверить в свою уникальность, перестать жалеть себя и понять, что соревнование, у кого красивее попа, проиграют все! Даже мисс мира состарится. А вот уверенных в себе победить практически невозможно.

...

— Вот объясните, как их наказывать?

— За что?

— Ну, вот не сделала она уроки…

— Я прошу прощения, но это не ваше дело.

— Хорошо, не уроки. Не убрала она в своей комнате.

— И снова неудачный пример. Если это только ее комната — это ее дело, убирать там или нет. Не мусорить в так называемых местах общего пользования — это да, это важно.

— Поела — и даже тарелку за собой не убрала!

— А что вам хочется сделать в этом случае?

— Хочется сказать: «Не будешь убирать — я тебя кормить не буду!»

— Да не надо говорить — надо не кормить! Особенно если вас задевает пренебрежительное отношение со стороны дочки. Хотя совсем не кормить ее вы не имеете права — она несовершеннолетняя. Но вы имеете полное право ей не готовить…

— Да! И не подавать!

— И не подавать уж тем более. Текст такой, что «Ничего личного — я готовлю только на себя». Вообще, не надо так уж заморачиваться — что педагогично, а что нет. По отношению к детям лучше вести себя искренне, так, как характерно для вас, как вам хочется, чем с натужным контролем за своими эмоциями.

...

— Мы его просим в магазин сходить и слышим: «Почему я должен?»

— Правильный ответ: «Потому». Я бы не советовал в этом случае вести душеспасительные беседы. Помощь семье — это положняк.

...

— Приведу пример с котом. Пришел ко мне как-то ветеринар и говорит: «Сейчас будем мерить коту температуру, вставим ему градусник в задний проход, а потом впрыснем лекарство шприцем в рот».

Я говорю: «Ничего я с ним делать не собираюсь. Он же меня порвет!»

Но ветеринар объяснил, что если кот будет меня кусать и царапать, то вовсе не от того, что плохо ко мне относится. Он меня обожает. Он просто жить хочет! Чувствует мою неуверенность и понимает, что вечер перестает быть томным. «Вы боитесь, и он тоже начинает бояться за свою жизнь, — сказал ветеринар. — Надо взять его крепкой рукой, показать ему, что вы — человек сильный и его не боитесь, и вообще ничего не боитесь». С котом это сработало. С подростками примерно та же история.

Подросток не уверен во всем: в себе, в людях, окружающем мире. А если и вы уверенность не излучаете, то его истерика накладывается на вашу. И ситуация усугубляется… Он со своими страхами не справляется, а что ему с родительскими-то делать? Кстати, ваша неуверенность проявляется чаще всего косвенно — не в самих словах, а в том, как вы разговариваете, как себя ведете в некоторых ситуациях. А ребенок все считывает.

И наоборот, если подросток чувствует, что у вас есть четкая концепция взаимоотношений, что вы понимаете, что делаете, что вы уверенно «держите крепкой рукой» — он успокоится. И жить — и ему, и вам — будет полегче.

Про детские психотравмы и взрослых невротиков

Мать-одиночка растит свою дочь скрипачкой,
Вежливой девочкой, гнесинской недоучкой.
«Вот тебе новая кофточка, не испачкай».
«Вот тебе новая сумочка с крепкой ручкой».

Вера Полозкова

Многие считают себя интровертами. На самом деле интровертами они были не всегда. Просто в детстве они пытались поделиться с мамой и папой своими секретами и тут же выяснили, что это никому не интересно (услышали про «некогда», «отстань» и «не морочь мне голову»). Отсюда привычка переживать всё в себе и убеждение, что они сами — а их проблемы тем более — никому не нужны.

80% людей приходят ко мне со своими проблемами только потому, что им не с кем больше поделиться.

Чувство безопасности, которое ребенок должен получить в детстве, — самое главное условие его будущего психического здоровья и жизни без неврозов.

Но о какой безопасности может идти речь, если родители непредсказуемо агрессивны или предсказуемо негативны? У них всегда все плохо. **Атмосфера в семье — ожидание катастрофы. Прямо сейчас что-то должно случиться. Упадешь, разобьешься, отравишься, умрешь от инфекции, «под КамАЗ попадешь, он тебя по асфальту**

размажет», «не поступишь в институт — будешь работать грузчиком в "Пятерочке"». Вот они где — «мелкие» психотравмы! Их причина — не обязательно в раскаленном утюге или инцесте. Негативные замечания травмируют глубже за счет того, что постоянно повторяются. Знаете, есть европейские пытки — дыба, побои, а есть китайские, когда обездвиженного человека, к примеру, щекочут перышком, пока он не сходит с ума. Тут такая же разница.

Большая часть психотравм приходится на возраст от 3 до 5 лет.

Одноразовые психотравмы — это когда: ребенка оставили в темной комнате и он испугался; он опрокинул на себя кипяток; мама с папой развелись; похороны бабушки и другие обычные житейские истории, включая насилие — психическое, физическое, сексуальное.

Бывают психотравмы повторяющиеся, когда ребенок живет среди невротиков, которые каждый день страдают или ведут себя агрессивно, непредсказуемо, неуверенно и т. д. Или в детском саду или школе его травят, обижают, то есть повторяющаяся ситуация.

Не все дети одинаково реагируют на психотравму. У одного ребенка психика может быть покрепче, у другого послабее. В ком-то и серьезная трагедия не оставляет следа, а кто-то на всю жизнь травмирован смертью котенка.

Однажды мне пришлось объяснять 7-летнему ребенку, что такое развод, чтоб помочь ему справиться с психотравмой. Я говорю:

— Ты в каком классе учишься?

— В первом.

— Тебе кто-нибудь из девочек нравится?

— Да. Лиза.

— А в детский сад ходил?

— Да.

— Вы с Лизой там познакомились?

— Нет, там у меня была Лена.

— А где она сейчас?

— Я ж вам объясняю! Я уже в школе учусь, откуда я знаю, где Лена?

— Вот. А папа должен всю жизнь с твоей матерью жить, так, что ли?

И тут он перестал плакать, прервал прием, вышел к родителям, которые ждали в коридоре, и сказал: «Я все понял, пошли…»

Стабильность, комфорт, доверие — вот что должны получить дети от родителей в первую очередь. Если родители ведут себя агрессивно, унижают, критикуют ребенка, то у него, естественно, подрывается доверие к жизни в целом и к людям в частности. У меня есть одна подруга, которая говорит конкретно: «Людей ненавижу». Подбирает собак, кошек. И понятно почему: животные ее не предавали, а папа предал.

Куча людей страдает коммуникативными проблемами: им сложно подойти к другому, что-то сказать, донести свою мысль и эмоцию и в результате сложно себя реализовать. А почему? А потому, что они уже подходили в четыре года к пьяной маме и та недвусмысленно высказалась и по поводу неуместности детского вопроса, и по поводу неуместности самого ребенка в этом мире. И сделала она это много раз. Теперь мальчику 30, и ясно, что у него даже мысли не возникает о доверительном общении с кем бы то ни было.

Психотравма в первую очередь формирует чувство страха и тревоги, что выливается в фобии, панические атаки и НЕДОВЕРИЕ ЛЮДЯМ.

Если брать семью полную, но невротическую и семью без отца — второе однозначно предпочтительнее.

Да, корни многих проблем родом из детства. Но родители — они такие, какие есть. Они растили вас так, как могли. Вы их не измените, менять надо себя — переписывать детский сценарий, вырастать из него.

Если не хотите, чтоб психотравмы были у ваших детей, ведите себя так, чтобы они вас не боялись, чтобы вы были предсказуемы, чтобы через вас они ощутили доверие к жизни. Будьте если не рядом, то доступны, чтоб вам всегда можно было позвонить, чем-то поделиться, спросить. А если ребенок вам что-то рассказывает, старайтесь его не перебивать и не давать советов, а просто выслушивать.

Если вы:

— не способны доверять кому бы то ни было;
— не умеете выражать свои чувства;
— эмоционально подавлены («Я не могу влюбиться», «Я ничего не чувствую»);
— не можете реализоваться ни в семье, ни в профессии;
— не хотите (или боитесь) заводить детей;
— у вас склонность к депрессиям и т. д.,

возможно, все это последствия детской психотравмы.

Важно, чтобы вы знали, что не должны всю жизнь расплачиваться за свое несчастное детство. И почти всё поправимо.

Про мам и сыновей

Давай, женись, делай маму сиротой!

Т/с «Ликвидация»

По статистике, около 54% детей в России растут в неполных семьях. Чаще всего это означает, что без отца. И больше половины тех, кто сейчас читает этот текст, — женщины, у которых нет мужей, но есть сыновья. И они порой размышляют, насколько им было бы легче воспитывать ребенка, будь у них муж… «Мальчику нужен отец!», и все такое.

На самом деле мальчику прежде всего нужна адекватная мать, а остальное — только бонус. И если у мальчика есть такая мать и доверительные отношения с ней — все у ребенка будет хорошо. Это, конечно, не заменит ему отца замечательного, но намного лучше отца номинального, которого с трудом терпят, «лишь бы был». Ложный посыл.

На дворе 2017-й, и пора понять, что модель семьи и реальность вокруг, роли мужчин и женщин в браке и в жизни — все это сильно изменилось. Да, отец, конечно, желателен. Но горевать о его полном или частичном отсутствии, пытаясь самой изображать суровое мужское воспитание, не стоит. Последствия могут быть очень грустными. Вы даже не представляете насколько.

Вообще, отцы в России традиционно принимают мало участия в формировании ребенка. У нас зона ответственности мужчины — это деньги, работа и роль цербера и цепной собаки в семье. Чтобы отец и мать вносили одинаковый вклад в воспитание отпрысков — пока редкое исключение. Печально, но факт.

Конечно, не здорово, что сын не ходит с отцом на футбол, не учится разжигать костер, сурово по-мужски дружить и пить пиво, но мамские проколы чреваты гораздо более серьезными последствиями. С которыми, собственно, я и сталкиваюсь, ежедневно анализируя проблемы пациентов. Ведь все мы в той или иной мере — жертвы собственных матерей.

Как обычно выглядит жизнь «без отца»? У мальчика есть мама, бабушка, а если сильно повезет, то еще и тетя, иногда две.

И начиная с роддома кругом одни женщины. Детсад проскакиваем, там, кроме сторожа, ни одного мужика. В школе то же самое, физрук и трудовик обычно сильно пьющие и не считаются. Тут же в школе ребенок получает (от женщин) первый опыт унижения и подавления, а у нас, не к чести родителей будет сказано, они не берут сторону детей, а вместо этого жестко выступают на стороне педколлектива.

Приходит мальчик с мамой, допустим, на выставку, там процентов 80 посетителей — женщины. Приходит в поликлинику, в библиотеку, в дом пионеров (которые сейчас дома творчества) — и тоже видит одних женщин и взаимодействует только с ними.

И так лет до 15.

А что в это время происходит у него дома? Там бывает поразному. Но в любом случае мать — главный человек в его жизни, и она воспитывает, строит, требует, подчиняет, влияет.

Если это женщина не очень волевая, может, даже слабая, в отношениях с сыном она давит на жалость и чувство вины. Рефрен: «Ты как с матерью разговариваешь?»; «Ты меня в гроб вгонишь»; «Я тебя одна на себе тащу, разрываюсь между

Будучи несчастными людьми, вы никак не сможете так выстроить отношения с ребенком, чтобы он был счастлив. А если родители счастливы, то специально и делать ничего не надо.

работой и домом, а ты!» и т. д. Далее следуют: слезы и сопли по поводу того, какие «мы с тобой сиротинушки».

Когда заканчивается детский и начинается подростковый возраст, добавляются еще и причитания: «Какой ты был хороший мальчик, когда маленький был»... А теперь, стало быть, уже плохой.

Многие женщины при этом страдают истерическим неврозом и ежевечерне (или чаще) устраивают скандалы из-за невымытой чашки, брошенных под кровать носков и, конечно, уроков.

Мальчик становится тревожным невротиком. Из физиологических последствий — тики, заикания, экзема, нейродермит... И вырастает он такой — инфантильный, затюканный, опекаемый, несамостоятельный.

Женщины, помните, гиперопека — это история не про любовь, а про тревожность, и больше ничего.

Но еще хуже, когда мать, имея от природы властный характер, полна решимости вырастить «настоящего мужика». Тут уж никаких соплей. Она считает, что, раз у нее нет мужа и некому сказать: «Пойди разберись», разбираться приходится самой и жестко. Она подавляет в мальчике эмоции, правит «твердой рукой», обращается с сыном холодно, сухо, грубо, иногда жестоко.

Какое-то время ребенок изо всех сил старается добиться любви матери, обратить на себя внимание — «смотри, что я могу!». Он пытается пробиться к маме, а ей как бы не до него («что за телячьи нежности»?). В семье царит холодность, непонимание, конфликты, постоянное недовольство, никто друг с другом не разговаривает либо разговаривают «через губу». «Как двойка? Опять двойка? Ну все, я тебя больше не люблю, урода». Так вот, на всякий случай — все это верный способ вырастить гея. И к воспитанию мужественности не имеет никакого отношения.

С возрастом мальчик бросает откровенные попытки завоевать одобрение матери, но подсознательно делает все, чтобы доказать ей, какой он на самом деле молодец.

Дальше: если ребенку не хватило общения с матерью, комплекс неполноценности и коммуникативные проблемы — самые слабые из последствий. Если мужчина в детстве не сломался, но обида осталась, в сочетании с агрессией это может вылиться в склонность к насилию.

Еще несколько семейных обстоятельств, которые, если присутствуют, целиком или отчасти, серьезно увеличивают шансы мальчика вырасти несчастным невротиком.

Например, и в случае со слабой, и в случае с жесткой матерью обстановка часто усугубляется холодной войной между мамой и бабушкой. Мама тут выступает в роли плохого следователя, бабушка — в роли хорошего.

— Ты зачем из-за двойки ребенка ругаешь?

— Не лезь, я сама разберусь, это мой сын! (И мой крест.)

И психика ребенка раскалывается.

Вообще, когда я слышу, как родители парятся по поводу учебы детей, стремятся любой ценой воткнуть их в вуз, «дать хорошее образование», я понимаю, что таким образом они хотят обеспечить себе спокойную старость, чтобы дети гарантированно могли их прокормить. В этом нет ничего неестественного, но просто не надо говорить, что вы заботитесь о будущем ребенка, в то время как заботитесь о своем…

Еще один вариант модели неполной семьи, когда ожидания от маленького сына как от взрослого мужчины, который как бы встает на место «бросившего семью» отца: «А на кого мне еще полагаться?», «А кто мне еще поможет?» и т. д. Плюс избыточные («Ты у меня один, я тебе всю себя отдала, ты уж постарайся…») надежды, которые просто невозможно оправдать.

Либо постоянные выяснения отношений через ребенка с бывшим мужем, сливание обид: «Ты что, меня не любишь? Ну вот, И ТЫ меня тоже не любишь»... Ситуация может усугубляться попыткой мстить мужчине через запрет видеться с сыном.

Некоторые мамы настолько интенсивно устраивают личную жизнь, что ни времени, ни сил на сына у них не остается. Кто-то и вовсе сплавляет ребенка бабушкам. Повзрослев, с такими мамашами стараются вообще не общаться... Спрашиваешь про мать и слышишь: «Да я не поддерживаю отношения. Только и слышал в детстве: “Отстань, отстань”. Ну я отстал».

Все это примеры материнских ошибок, примеры того самого неадеквата, который оборачивается последствиями гораздо более серьезными, чем отсутствие «мужика в доме» и даже отца в жизни.

Из-за таких перекосов и тяжелой обстановки в семье мальчик часто начинает тянуться к старшим ребятам. Вот кто теперь является референтной группой: людьми, чье мнение важнее всего! И это одна из причин, по которой у нас в стране средний возраст первой затяжки, первой рюмки водки, первого знакомства с наркотиками — 12,5 лет.

Все это я к тому, что мужчин растят другими способами.

И главный совет женщинам: если вы чувствуете, что у вас нездоровые отношения с сыном, не придумывайте, как вести себя с ним, а поймите, что делать с собой, чтобы быть адекватной мамой.

Главный секрет воспитания в том, что тут нет никаких секретов. И нет книг по психологии, которые ответят на вопрос, как вырастить счастливого ребенка. Но зато достаточно быть счастливой самой. Психическое здоровье матери, радостная жизнь самой матери, отсутствие агрессии, обиды, страхов — вот залог здоровья ребенка.

ИНСТРУКЦИЯ
«Как вырастить физически, эмоционально и психически стабильного парня»

- Для начала полюбите себя, и тогда вы сможете принять вашего ребенка ЛЮБЫМ, а не лепить из него свое кривое подобие.
- Перестаньте себя жалеть. Примите факт того, что вы не замужем. Считайте это преимуществом. Почувствуйте себя здоровой полноценной женщиной. Это автоматически нейтрализует страдания, что ваш сын растет без отца.
- Неудачно вышли замуж? Отец ребенка не хочет помогать? И вы говорите об этом сыну? Сын будет ненавидеть отца и ассоциировать себя с ним. Не делайте этого. Отнеситесь к своей жизненной ситуации как мудрая женщина: «Это был мой выбор, ответственность лежит на мне. Мне грустно, что отец и сын не общаются, но я не виню в этом ни себя, ни мужчину».
- Позволяйте сыну быть самим собой.
- Учитывайте его желания, не унижайте.

- С 6 лет у него должны быть небольшие, но свои карманные деньги.
- Не проверяйте уроки.
- Как бы ни было тяжело — не отправляйте ребенка к бабушке надолго. Ему там точно не «лучше будет».
- Если чувствуете себя плохой матерью, срочно избавляйтесь от чувства вины — ребенок все чувствует.
- Не проявляйте вслух неуважение к мужчинам вообще и к нему как к будущему мужчине в частности.

Как вырастить счастливого ребенка

С ранних лет он был приучен к мысли, что он, Шурик, очень хороший мальчик, совершает хорошие поступки и не совершает дурных, но уж если дурной поступок вдруг случился с ним, то следует его немедленно осознать, попросить прощения и снова стать хорошим мальчиком.

Людмила Улицкая. Искренне ваш Шурик

В журналах пишут, что секрет прочной семьи и длительных отношений — в компромиссах, а на самом деле он в стабильности психики членов семьи.

Когда мать долго и «через силу» находится в декрете по уходу за ребенком, чувствует себя его заложницей или сознательно, волевым решением «проводит с ребенком много времени», потому что вот такая она ответственная, или еще хуже «посвящает сыну (дочке) всю себя», или даже еще хуже — «живет ради него» — детям от этого точно не легче.

Из такого подхода вообще ничего хорошего не получается — ни для жизни, ни для психики ребенка. Дети все считывают и прекрасно понимают, когда с ними «сидят» или гуляют из чувства вины. Или, например, приходит мать вечером уставшая. С одной стороны, у нее угрызения, что дети требуют внимания. С другой — кто их будет кормить, если она бросит работу? И вот она пытается поддержать с ними разговор, а ей хочется только одного — лечь и умереть от усталости… И ей тяжело, и им непросто. Ищите помощников, разговаривайте с детьми, просите их поддержки — не надо все тащить на себе! В конце концов, устала — обнимите детей, умывайтесь и идите спать. Завтра пообщаетесь. Лучше так, чем ежевечерние истерики «На мне весь дом держится, я и работаю, и у плиты стою, а вы…»

И когда из чувства вины от них откупаются с помощью игрушек, дети тоже прекрасно знают. «Извини, я снова поздно пришел с работы, а на выходные вообще уеду в командировку, поэтому на́ тебе, сынок, новый конструктор “Лего”…» Такие отношения, с изначально неверными настройками, отражаются и на детской психике, и даже на физиологии.

Здоровая ситуация, когда мать с нетерпением (и ни в чем себя не обвиняя) предвкушает, как она обнимет дочку или сына, спешит с работы домой. С работы, где она реализуется, общается, получает удовлетворение и где она успевает по ребенку соскучиться. И те пару часов или меньше, что родитель и ребенок проводят вместе, действительно ценны, наполнены любовью, искренним интересом друг к другу и много дают обеим сторонам.

И кстати, жить ради кого-то — очень нездорово. Но это отдельная сложная тема.

И повторяю: счастливые дети вырастают только у счастливых мам и пап. И до тех пор, пока у взрослых имеются тайные и явные комплексы, — дети в зоне риска. Ибо ребенок — это идеальный объект и совершенно беззащитная жертва психологических проблем родителей.

Чтобы ваши дети были счастливы или как минимум не выросли невротиками, постарайтесь обнаружить и признать в себе какие-то особенности, которые негативно влияют на жизнь вашего ребенка. (Например, самооценка дочери напрямую связана с самооценкой матери.)

Все поправимо! Тревожные родители вполне способны, если захотят, справиться со своими тревогами и страхами — и освободить от них детей. Холодные, замкнутые — могут иногда вынуть из себя эмоцию и поделиться ею со своим ребенком. Было бы желание.

Знаете, некоторые выросли под рассказы родителей о том, как семье тяжело было его растить, как семья из-за него стала хуже жить и отказывать себе в привычных вещах, как стало меньше денег, развлечений, путешествий, как им «пришлось» то-то и то-то, но они пожертвовали... Когда дети, которым такое внушили, вырастают, сами они часто не хотят иметь детей, потому что уверены, что родительство — это сплошная жертва, борьба за выживание и отказ от собственных интересов. Вот такая каша у людей в головах.

Другой вариант, когда родители возлагают на дитя все свои надежды и чаяния в связи с тем, что сами всегда о чем-то там мечтали, но «не склалось». «Так пусть же мой сын!..» А бывает еще, что, наоборот, родители ого-го с какими успехами и наградами, и тогда текст в сторону наследника звучит так: «У тебя в семье все чего-то достигли, и мы очень рассчитываем, что ты не посрамишь и не уронишь...» Это всё путь в никуда.

Беда в том, что большинство родителей до какого-то возраста сюсюкают с детьми, а когда тем исполняется года четыре, вдруг отказываются понимать, что перед ними ребенок. И начинают что-то требовать, давить, ждать... Когда хочешь, чтобы дети носили твою фамилию — это нормально, но когда хочешь, чтоб допели то, что ты не успел, — это чревато.

Ребенка, как и себя, надо любить просто за то, что он родился и есть. А все эти амбиции, требования, недовольство сыном или дочкой — явные признаки недовольства собой, собственных неудовлетворенных амбиций и собственной, извините, несостоятельности.

...

— У меня трехлетний сын, я вышла на работу и теперь переживаю, что, может, лучше было дома сидеть, общаться с ребенком...

— А вы сами хотели выйти на работу?

— Да, очень хотела... Думала, удастся совместить работу и семью.

— Это странная идея — «совместить». Если человек психически здоров и благополучен, он никогда не подумает «попытаюсь совместить». Он на работе работает и, как может, получает от этого удовольствие, потом идет домой и радуется возможности пообщаться с семьей. А вот если человек тревожный, депрессивный, он дома парится, что ему завтра на работу и что он на работе устает и ничего не успевает. А потом на работе страдает, что уделяет мало времени домашним, что дети заброшены, и все в таком роде... В общем, если человек несчастен, он найдет повод заморочиться.

...

— Если вы хотите сохранить доверительные отношения со взрослеющим ребенком — закройте рот, когда он вам что-то рассказывает. Он сам захотел чем-то поделиться? Не надо вставлять замечания типа «а я тебе говорила», «как так можно?!», «мы же тебя предупреждали»... Спросит совета или комментария — дадите, не спросит — просто выслушали и приняли к сведению.

...

— Ребенок пошел в детский сад, и расставания по утрам проходят очень драматично: он плачет, не отпускает меня. Но, как говорят воспитатели, когда я ухожу, он тут же успокаивается и играет со всеми. А вечером, когда забираю, — снова сцена со слезами: «Почему в 15:40, хотя обещала в 15:30?»; «Почему поцеловала один раз, а обычно три?». Посоветуйте, что делать?

— Советую не раскаиваться. И не оправдываться. Забрала, когда смогла. Могла бы вообще не забирать. (Шутка.) Дело в том, что, когда мать сама сомневается, что поступает правильно, и сама себя все время за что-то ругает, пусть и не вслух, у ребенка появляется масса возможностей для манипулирования. И при этом он чувствует себя неуверенно, сам себя накручивает, психика расшатывается... **А вот если мать уверенно и спокойно говорит, что иначе не могла, он успокаивается и принимает ситуацию как есть. Еще и посочувствует вам, если вы задерживаетесь.**

— Что, так и говорить «могла бы вообще не забирать»? Это может травмировать!

— С юмором, с юмором, конечно. Дети, кстати, и шутки лучше понимают.

…

— Моя мама позволяла мне самой принимать решения. Я занималась в детстве английским, а потом сказала, что больше туда не пойду. И мама согласилась. Теперь я вижу по своим сотрудникам, что те, кого заставляли учиться, знают несколько иностранных языков и у них больше возможностей для карьерного роста. А я английский выучила только сейчас. Я говорю маме: «Почему ты меня тогда не заставила? Надо было меня бить!» Разве я не права?

— Когда вам самой понадобилось, тогда вы и выучили. Но по отношению к маме вы продолжаете вести себя как ребенок. Вместо того чтобы быть благодарной за то, что у вас было здоровое, «без нервов», полноценное детство, вы предъявляете претензии. Это инфантильное поведение. **Надо учиться самой отвечать за свою жизнь и совершенно правильно учить этому детей.**

...

— Моей дочке 12 лет. Она хорошо учится, много читает, это прекрасный открытый ребенок! Но какой-то безалаберный. Притом что дочка не рассеянная, не забывчивая, она каждый день оставляет портфель в проходе, где все об него спотыкаются. Или сидит, ест яблоко и книжку читает. Дочитала, ушла, а огрызок на книге остался. Как заставить ее быть аккуратной?

— Заставлять вообще никогда не надо. **Надо сделать так, чтобы не вы за ней, а она за вами бегала! Делать замечания, говорить что-то можно только один раз (если больше, вы только роняете свой авторитет в ее глазах). Дальше надо действовать.**

— Например, как?

— Например, спрячьте портфель. Ей уроки делать, а портфеля нет. А на завтрак предложите ей тот огрызок от яблока. Слова не работают, только действия!

...

— Сыну 9 лет, но я не могу выйти на работу, потому что ни одна няня с ним не справляется. Уроки он сам не делает, на спорт ходит из-под палки.

— А зачем?

— Зачем на спорт? Потому что это полезно, даже не обсуждается.

— А с чем няни не справляются?

— Когда меня нет, сын ничего не делает, валяет дурака, выводит из себя очень терпеливых нянь… Я вынуждена целыми днями сидеть рядом, чтобы он хотя бы выполнял домашние задания.

— Если он психически здоров, то в состоянии сам делать уроки. Просто пока вы за него отвечаете, контролируете и чуть ли не сама все делаете — это ваша проблема. Если перестанете — уроки станут его проблемой. Как вы думаете, что будет, если вы перестанете сидеть рядом?

— Я боюсь, он ничего не будет делать!

— Вы боитесь — и это главная причина всего, что происходит. Вы целыми днями обслуживаете свои страхи, чем только усугубляете ситуацию.

— А что делать?

— Я бы сказал «отпустите ситуацию», но вы не сможете, раз говорите «это даже не обсуждается». Вы уже решили, как должно быть. Или сможете?

— Попробую почитать что-нибудь на тему «Как отпустить ситуацию».

...

— У меня трое маленьких детей. Младший ходит в сад, старшие в начальную школу. Каждое утро превращается в испытание. Сборы, завтрак… Хочется наслаждаться общением с детьми, а не подгонять их все время и нервничать.

— Я много раз рассказывал о том, что школа с самого начала должна быть зоной ответственности ребенка. Это касается и уроков, и опозданий… Пусть ваши дети сами встают, сами завтракают, сами собираются. Вот когда успеют, тогда успеют (в следующий раз поставят будильник на 15 минут раньше или поспешат). Потом они придут в школу, и, если они опоздали, там их ждут большие проблемы, столкновения с которыми вы их лишаете, когда подгоняете и нервничаете как бы ЗА НИХ. Если хотите им помочь — перестаньте помогать в сборах.

...

— Ребенок по 300 раз спрашивает, понравилось ли мне то, что он сделал своими руками. Это плохой признак?

— Пока не знаю. Как минимум признак неуверенности в себе. Что-то еще можете рассказать?

— Очень часто он пытается жестко строить младшую сестру, за что сам же и получает.

— А когда младшая родилась, ему сказали, что он теперь взрослый?

— Да.

— Тогда понятно, откуда неуверенность и попытки привлечь ваше внимание и вызвать одобрение... **Уважаемые родители! Когда у вас в семье рождается второй, третий, пятый ребенок, не говорите старшим, что они уже взрослые. Ни поведением, ни словами не давайте им понять, что, мол, «ты уже большой». Во-первых, он хоть и старший, но по отношению к родителям все равно остается маленьким, и это единственно нормальная позиция. А во-вторых, все эти рассказы про «ты теперь за старшего» дети воспринимают как знак того, что их уже не любят или любят меньше. Это болезненно и крайне неполезно для отношений в семье и его дальнейшей жизни.**

— Дочке все время нужна компания, ничего не может делать одна. В чем наша ошибка?

— Возможно, вы ее заорганизовали? Попробуйте сделать так, чтобы у нее было не меньше двух часов свободного времени в день. Свободного и от школы, и от уроков, и от кружков… И дайте ей возможность самой себя занимать. (Или начать с 15 минут и постепенно увеличивать это время.) Она должна стать сама себе интересна — чем раньше, тем лучше. Работайте над этим. А то вырастет, будет чувствовать себя одинокой, цепляться за людей, за отношения… Есть такая опасность.

…

— Моя дочка в 3-м классе, она хорошо учится, есть успехи в отдельных предметах. Но при этом такая медлительная! Все делает последней, не говоря уже о спорте, где она всегда самая последняя во всех забегах.

— Медлительность не является ни недостатком, ни достоинством. Но, судя по тому, что вас это так волнует, вы совершенно другой по темпераменту человек. Поэтому вас и беспокоит ее медлительность. **Вам надо привыкнуть к тому, что вы с ней разные. И спокойно дать ребенку быть самим собой.**

…

— Мальчик хорошо учится, и ему нравится учиться. Но последнее время он говорит, что у них в классе это стало «не круто». Что нам ему говорить?

— Попробовать рассказать, что делать то, что делают все и подчиняться большинству, — вот это не круто. Но если не поможет — поменять школу.

Про уроки

— Метельщик, мне правда нужно вернуться на кухню, я ведь дежурю… — неуверенно произнес он.
— О да, дежурство по кухне, — улыбнулся Лю-Цзе. — Чтобы развить привычку к повиновению и тяжелому труду, верно?
— Да, метельщик.
— И она развивается?
— О да.
— Правда?
— Нет.

Терри Пратчетт. Вор времени**

До 6–7 лет мозг ребенка объективно физиологически не готов воспринимать большие объемы информации. А психика не готова к самим занятиям. Так что **не надо нагружать ребенка «ранним развитием» до того, как он пойдет в школу. Вы потеряете деньги, а он — детство.**

Невозможно, не полюбив себя, вырастить ребенка в человека, который будет себя любить. И не может родитель с низкой самооценкой воспитать детей с высокой. Хотя многие очень стараются.

Во время уроков ребенок обездвижен (или ему положено быть обездвиженным) по 4–6 часов ежедневно. Пусть даже

** Перевод Н. Берденникова, А. Жикаренцева.

и с перерывами, во время которых детям тоже не дают выплеснуть накопившуюся энергию. («Бегал на перемене!» — пишут в дневнике учителя). Даже взрослым сложно быть неподвижными так долго. Давно не пробовали застыть часов на пять-шесть?

Более того, накапливать статическое напряжение вредно как для физического, так и для психического здоровья. Тем более детского. Так что не ругайте детей, если от напряжения они начинают грызть школьную мебель. И не поддерживайте в этих нападках учителей.

К сожалению, в наших школах ученики не могут сидеть или лежать на полу во время занятий. Хотя во всем мире именно в младшей школе это принято. У нас до сих пор существует сталинский канон, как школьник должен располагаться в пространстве: полпопы на стуле, спина прямая, спинки стула касаются только лопатки, согнутая в локте левая рука снизу, правая сверху, если хочешь что-то спросить, надо поднять правую руку, согнутую под углом 90 градусов. Жесть. Знаете, что происходит с собакой, если с ней долго не гуляют? У нее едет крыша: ее психика расстраивается. И не на время, а навсегда. Что ж мы от детей-то хотим, которых запирают в классах?

Если у ребенка нет свободного времени, а родителям кажется, что его жизнь переполнена содержанием — занятиями спортом, музыкой, языками, углубленным изучением некоторых предметов с репетиторами, то первое, что он сделает, повзрослев: попробует ничего не делать. И скорее всего, ему это удастся и понравится.

Оставляйте детям по два часа свободного времени ежедневно. Времени, когда он либо ничего не делает — по вашему мнению, либо делает что хочет.

У ваших детей, конечно же, есть таланты. И непросто прийти к мысли, что эти таланты не обязательно упорно развивать и реализовывать — ЕСЛИ РЕБЕНОК САМ ЭТОГО НЕ ХОЧЕТ. Если он и без развития своих талантов хорошо себя чувствует. Талант должен давать радость, он не для того, чтобы его использовали. Не надо напрягаться, искать педагогов и ждать, «во что это выльется». Чаще всего ни во что не выливается, и в этом нет ничего трагического.

Когда современный ребенок, привыкший к полнометражным мультфильмам, красочным книгам, компьютерным играм, сталкивается с подачей материала в учебниках, ему становится скучно. Это как если вы сейчас начнете смотреть мультфильм 1957 года выпуска: поймете, что хороший, но чего-то не хватает. Так и ребенку в школьных заданиях и книгах не хватает красок, звуков, движения… Словом, ему нелегко подстроить восприятие под этот новый для него формат. И лень тут ни при чем.

Мамы часто недоумевают: дома ребенок такой хороший, любящий, общительный, добрый, а когда учительница о нем рассказывает — какой-то вождь краснокожих, и это еще в лучшем случае. Обращаю ваше внимание, что индивидуальная психология и психология поведения в группе существенно разнятся. И когда ребенок попадает в коллектив, совершенно естественно, что он ведет себя не так, как дома, с мамой. И не надо этому удивляться. Если он не проявляет явные признаки агрессии, не наносит побоев другим детям, а просто ведет себя «как-то не так» — это не повод лезть к нему с замечаниями.

В младшей школе девочки обгоняют мальчиков и в физическом, и в психологическом развитии, психологически они более стабильны. У пацанов по объективным причинам хуже, чем у девочек, развита мелкая моторика, отсюда и почерк, который мамы-перфекционистки считают «корявым». Только годам к 25 мальчики достигают уровня детско-подростковой усидчивости девочек.

Приходите вы домой с работы, вы соскучились, ребенок соскучился. Обняться бы и пойти ужинать. Так нет, вы превращаете дом в продолжение школы, сводите общение с ребенком к обсуждению оценок и подготовке уроков. Отношения портятся, иногда даже на всю жизнь. Потому что если 8–9-летний ребенок еще как-то вас терпит, то 15-летний — уже взрослый человек, в ответ на вопрос «Опять двойка?» может и послать. И будет прав.

Мое мнение по поводу гаджетов: не покупайте детям смартфоны — покупайте телефоны в пределах трех тысяч рублей, которые позволяют писать сообщения и делать звонки, ограничивайте время, проводимое ребенком «в планшете» и за компьютером: полтора часа в будни и четыре — в выходные. Если лимит превышен, вырубайте домашний роутер.

В период с 6 до 9 лет мозг ребенка и его психика находятся еще в подвижном состоянии, еще только продолжают формироваться. И нет никаких норм, определяющих его «нормальность». И эти «количество знаков в минуту», все эти замеры с секундомером в руках — просто пережиток какой-то! Не обязан ваш малыш соответствовать каким-то там нормам. На сто процентов он готов к урокам только после 12 лет.

Мы, конечно, привыкли, что «гвозди бы делать из этих людей» — это комплимент. Но давайте делать из людей гвозди хотя бы не в 7 лет.

В совместном (родители–дети) приготовлении домашнего задания главный вопрос: КТО ПЕРВЫЙ НАЧАЛ? Начать должен ребенок. Если он попросил помочь с уроками — конечно, помогайте! Но если вы начали приставать к нему с дурацким вопросом «Ну, как дела в школе?» и это вылилось в сидение над учебниками, значит, лекции и публикации про «Уроки с ребенком делать не надо» вам так и не помогли понять, что уроки с ребенком делать действительно не надо.

...

— Сын пошел в первый класс. Первый месяц я не заглядывала в его тетрадки, и все было хорошо. Но потом нервы сдали, не выдержала, посмотрела, а там полный ужас! Теперь сидим, переписываем каждый вечер домашнее задание по несколько раз, скандалы, плачем оба... Не могу же я пустить ситуацию на самотек! Что теперь делать? *(Нина)*

— А он просил ему помочь?

— Нет.

— А учительница говорила, что он не справляется?

— Нет.

— Тогда стоит спросить себя: почему месяц вы держались и не проверяли никакие тетрадки, а потом вдруг сдались? Что стало причиной? Ваш рассказ вызывает такую аналогию: «У нас в семье царили мир и спокойствие, но однажды я не выдержала, залезла в телефон мужа, выяснила, что он флиртует с сотрудницей, и теперь все рухнуло, начались конфликты...»

Про «ситуацию на самотек» я даже не буду комментировать. Ведь именно об этом все статьи и лекции под условным названием «Уроки с ребенком делать не надо». Не надо, понимаете? Отношения с ребенком не надо пускать на самотек, а с уроками — просто необходимо.

...

— Мой 16-летний сын вполне доволен собой и говорит, что ни одно свое качество не променял бы на другое. Как думаете, нормально парень развивается? Не могу объективно оценивать, так как эмоционально включена. Спрашиваю его: «Корона не жмет?» А с другой стороны, думаю, что круто — он принимает себя. *(Карина)*

— Карина, нормально он развивается.

А то, что вы в этом сомневаетесь, — понятно. К сожалению, в нашей стране недовольство собой — настоящий культ. Общественное бессознательное видит это примерно так: «Умный, интеллигентный человек никогда не может быть довольным собой! Он всегда сомневается, он в поиске... А довольным собой может быть только примитив, плоский и недалекий». И наоборот, если человек уверен в себе, если он себе нравится, его считают самодовольным и очень сомневаются в его адекватности в целом.

Тем временем постоянная неуверенность в себе и низкая самооценка не могут быть почвой для личностного роста, зато становятся прекрасной почвой как минимум для невроза.

Мне всегда нравился стишок:

Колосится в поле рожь,
Нет на солнце пятен.
До чего же я хорош,
До чего приятен!

…

— Отношения с мужем закончились по причине психологического насилия и агрессии с его стороны. У нас общие дети, они еще маленькие, поэтому я не работаю и временно материально завишу от мужа. Мне просто приходится с ним взаимодействовать. Но отношения закончились, а насилие и агрессия остались. Как выжить, сохранить себя и свои границы в ситуации, когда нет возможности полностью разорвать отношения с насильником и тираном? *(Елизавета)*

— Елизавета, нет ничего более постоянного, чем временное. Временные зависимости часто оборачиваются привычкой. Можно, во-первых, попробовать, не входя в контакт с отцом детей, подать в суд на алименты. И независимо от того, устраивает вас вариант с судом или нет, перестать чувствовать себя жертвой и вести себя как жертва. Потому что и тон вопроса, и ссылка на «временные трудности» выдает эту самую «психологию жертвы».

Во-вторых, можно попросить маму (или поискать кого-то еще, обговорить условия) посидеть с детьми и выйти на работу. Взять инициативу в свои руки. Возможно, вы себя недооцениваете!

А для детей точно намного полезнее общаться с матерью (пусть даже меньше по времени), которая расправила плечи и взяла на себя ответственность за свою жизнь, чем жить с мамой, которая боится, «выживает» и постоянно чувствует угрозу.

...

— Моей дочери восемь лет. Она взяла без спроса три тысячи рублей и потратила в магазине на сладости. До этого она брала два раза по тысяче. Я предупреждала, что надо вначале спросить. Последний раз я ее избила в магазине, когда это узнала. Она меня стала побаиваться, но не попросила прощения. Карманных денег я ей не даю. Как мне грамотно выйти из этой нестандартной ситуации? *(Екатерина)*

— Екатерина, у вас проблемы с агрессией. «Избила» — это недопустимо. Никогда, ни при каких обстоятельствах бить ребенка нельзя. Ни воровство, ни любой другой детский проступок не может служить оправданием вашей агрессии и рукоприкладства. И в первую очередь вам надо разбираться с этими проявлениями. Разбираться с помощью психолога, а возможно, даже психиатра. Заодно потренируете навыки контроля над эмоциями.

У дочки, видимо, не сформированы понятия «свое — чужое», «хорошо — плохо», что, кстати, вполне можно назвать маминой недоработкой. Но можно попробовать, подчеркиваю, абсолютно мирно довести до сведения ребенка причинно-следственную связь: берет что-то без спроса — лишается телефона, планшета, мультфильма, похода в кино, прогулки. Если это не поможет и вы поймете, что воровство приобретает патологический характер, что девочка осознает все последствия своих поступков, но продолжает воровать, возможно, это так называемое «детское воровство», когда дети воруют, пытаясь обратить на себя внимание. В этом случае тоже хорошо бы сходить к психологу, который поможет справиться и с самой проблемой, и выяснит ее глобальную причину: выявит какое-то неблагополучие в вашей семье.

...

— Мой 11-летний сын с младенчества не любит оставаться один. И сейчас ему скучно наедине с собой, без общества он мается. Я же люблю тишину и уединение, но не могу передать ему свой комфорт. Как помочь? *(Анна)*

— Дети, которые себе неинтересны, вырастают во взрослых, страдающих от одиночества и очень зависимых от людей, которые «должны» их развлекать. Поэтому помогать надо.

Но сначала небольшой обзор ошибок родителей, которые и становятся причинами изменений в психике. В младенческом возрасте это гиперопека; в школьном — заорганизованность, когда у ребенка всегда есть занятия: школа, кружки, секции, уроки. То есть он с рождения не знает, что такое свободное время, и никогда не предоставлен сам себе. И конечно, он не умеет придумывать себе занятия, а живет по расписанию, составленному взрослыми.

Еще одна привычка современных родителей — чуть что совать в руки ребенку телефон или планшет либо включать мультфильмы. Анна, я советую плавно приучать ребенка к нахождению наедине с собой, постепенно, раз за разом, увеличивая промежуток времени вашего отсутствия. При этом не оставляйте его с телевизором или компьютером, давайте «умные» игрушки, которыми можно играть в одиночку.

...

— Моя дочь (22 года), красивая и умная, имеет крайне заниженную самооценку. Отсюда неуверенность в себе, проблемы на работе, в личной жизни и т. д. Хотя окружающие считают ее успешной, тянутся к ней, подражают, ставят в пример. Но она очень критична к себе. Что делать? С детства твержу, что она лучшая, но ее это только раздражает. *(Юлия)*

— В таком возрасте дочери мама уже ничем не может ей помочь. Она сама должна осознать проблему и попытаться ее решить. Если бы речь шла о ребенке, я сказал бы, что надо ее поддерживать, меньше критиковать, больше хвалить и всегда быть на ее стороне. Но раз вы и так все это делали, проблема глубже, чем кажется, и решать ее нужно с помощью профессионалов.

. . .

— Сыну 13, учиться категорически не хочет. Получил итоговую двойку по русскому и не только, ни самостоятельно, ни с репетитором заниматься не хочет. Такая ситуация уже два года: 5-й и 6-й классы. «ВКонтактике» рассуждает о самоубийстве. Думаю, что бравада, но хотелось бы быть уверенной. Меня все винят в мягкости, удивляются, что не могу влиять на сына. Я в тупике. Думаю, помощь нужна мне. Если есть какие-то решения, буду очень благодарна. *(Наташа)*

— Наташа, вы — хорошая мама, и вам по-настоящему важно, что происходит с ребенком. Многие обращают внимание только на оценки. Так вот, даже если рассуждения о самоубийстве — это только бравада, их нельзя оставлять без внимания. Сына необходимо показать психологу, а лучше не только психологу, но и в суицидальный центр, они есть почти во всех городах.

Часто подростки гибнут по неосторожности: выпил таблеток в расчете, что мама придет к семи, найдет, испугается и откачает, а мама пришла не в семь, а в девять, например. Или «вышел из окна», чтоб привлечь внимание, поскользнулся на подоконнике… Не хочу пугать, но такая опасность существует.

А учиться он не хочет, возможно, из-за депрессии, хотя в его возрасте это бывает крайне редко. Обращайтесь за помощью к специалистам.

— Ребенка надо уважать, с ребенком необходимо советоваться и считаться. И не читать нотации. Дети живут и развиваются только по аналогии. И понимают, как им действовать, не в тот момент, когда вы им внушаете: «надо говорить "спасибо"», «надо много читать», а когда видят, как вы сами всех благодарите и часто сидите с книжкой или «читалкой».

— В разговоре с ребенком (и не только) не критикуйте его, не трогайте его личность, не выходите за рамки анализа его поступков. Говорите не о нем, а о себе, своих чувствах. Не «ты — плохой», а «я думаю, ты плохо поступил». Используйте формулировки: «Мне не нравится, когда ты…», «Мне нравится, когда ты…», «Мне бы хотелось, чтобы мы…».

Поменьше критики, побольше конструктива и позитива!

— Карманные деньги должны быть у ребенка уже лет с шести. Некрупные, но регулярно выдаваемые суммы, которыми он распоряжается сам. И очень важно, чтобы деньги не стали инструментом для манипуляции. Не надо контролировать, на что ребенок их тратит, и ставить сумму траншей в зависимость от его успеваемости и поведения.

— Контролировать бессмысленно! Выход один — дать свободу сегодня! Доверие и уверенность, что ваш ребенок сам разберется, что хорошо, а что плохо, — вот залог вашего спокойствия. А не ежеминутные попытки определить его местонахождение и самочувствие.

— Если в детстве с вами обращались не очень хорошо или даже не со зла допускали ошибки в воспитании и общении — это обязательно сказывается на вашем отношении к жизни. Из него уходит главное — ощущение безопасности, и оно становится невротическим.

А что такое здоровые отношения с действительностью, вы даже не подозреваете. У вас — детская психотравма.

— Общаться с кем бы то ни было, в том числе и с родителями, надо только на своих условиях. Не конфликтовать, не хамить, не прекращать общение. Если вас что-то не устраивает — говорить об этом сразу. С собственными родителями проделать это сложнее всего, но и важнее всего.

— Если проблема взаимоотношений с родителями не решена, вы не сможете вырасти. Так как будете считать, что все ваши проблемы из-за плохих папы с мамой. А взрослый человек осознает, что все проблемы — в нем самом. И начинает их решать.

Перерасти родителей психологически — вот наша задача.

Список иллюстраций

С. 8. ©Владимир Соколаев. Женщина, спешащая на первомайскую демонстрацию. Улица Обнорского. Новокузнецк. 1.05.1983 г.

С. 36. © Владимир Соколаев. Торжественная регистрация новорожденного. Загс Центрального района. Новокузнецк. 1.10.1983 г.

С. 66. © Владимир Соколаев. Перерыв в конкурсе буровиков. Поселок Елань. Учебная база ЗСГУ. Новокузнецкий район. 25.05.1984 г.

С. 94. © Владимир Соколаев. Стакан кефира после родов. Коридор клинического роддома №1. Новокузнецк. 29.06.1981 г.

С. 140. © Владимир Соколаев. Обнаженный взгляд в упор. Подвальная фотостудия в музучилище. Новокузнецк. 16.03.1985 г.

С. 162. © Владимир Воробьёв. Молодой отец с приятелем у роддома №1. Новокузнецк. 1981 г.

С. 186. © Владимир Воробьёв. Очередь на приступках универмага. Новокузнецк. 1982 г.

С. 234. © Владимир Соколаев. Коля Михайлец и рука его брата. Новокузнецк. 9.04.1985 г.

С. 258. © Владимир Соколаев. Игры с няней. Дом ребенка №2. Новокузнецк. 30.05.1981 г.

С. 286. © Владимир Соколаев. Носитель папиного пиджака. Улица Покрышкина. Новокузнецк. 19.08.1983 г.

Лабковский Михаил

ХОЧУ И БУДУ

Принять себя, полюбить жизнь и стать счастливым

Главный редактор *С. Турко*
Руководитель проекта *О. Равданис*
Корректор *Е. Аксёнова*
Компьютерная верстка *К. Свищёв*
Дизайн обложки *Ю. Буга*

Фотография на обложке *М. Королёв*

Подписано в печать 05.03.2019.
Формат 70 × 90 1/16.
Бумага офсетная № 1. Печать офсетная.
Объем 20,0 печ. л. Тираж 120 000 экз. Заказ № 2012/19.

ООО «Альпина Паблишер»
123060, Москва, а/я 28
Тел. +7 (495) 980-53-54
www.alpina.ru,
e-mail: info@alpina.ru

Отпечатано в соответствии с предоставленными материалами
в ООО «ИПК Парето-Принт», 170546, Тверская область,
Промышленная зона Боровлево — 1, комплекс № 3А,
www.pareto-print.ru

Знак информационной продукции
(Федеральный закон № 436-ФЗ от 29.12.2010 г.) 12+